SUPER-HERÓIS DA CIÊNCIA

52 BRASILEIROS E SUAS PESQUISAS TRANSFORMADORAS

Rio de Janeiro, 2021

Copyright © 2021 por Ana Cláudia Munhoz Bonassa, Laura Marise de Freitas e Renan Vinicius de Araújo

Todos os direitos desta publicação são reservados à Casa dos Livros Editora LTDA. Nenhuma parte desta obra pode ser apropriada e estocada em sistema de banco de dados ou processo similar, em qualquer forma ou meio, seja eletrônico, de fotocópia, gravação etc., sem a permissão dos detentores do copyright.

Diretora editorial: Raquel Cozer
Coordenadora editorial: Malu Poleti
Editora: Diana Szylit
Preparação: Laura Folgueira
Revisão: Andréa Bruno e Daniela Georgeto
Capa: Anderson Junqueira
Projeto gráfico e diagramação: Mayara Menezes
Ilustrações: Bianca Nazari

Os pontos de vista desta obra são de responsabilidade de seus autores, não refletindo necessariamente a posição da HarperKids, da HarperCollins Brasil, da HarperCollins Publishers ou de sua equipe editorial.

Dados Internacionais de Catalogação na Publicação (CIP)
Angélica Ilacqua CRB-8/7058

B69s	Bonassa, Ana Cláudia Munhoz
	Super-heróis da ciência : 52 brasileiros e suas pesquisas transformadoras / Ana Cláudia Munhoz Bonassa, Laura Marise de Freitas, Renan Vinicius de Araújo. — Rio de Janeiro : HarperKids, 2021.
	160 p.
	ISBN 978-65-5511-133-0
	1. Cientistas – Brasil – Literatura infantojuvenil 2. Mulheres cientistas – Brasil – Literatura infantojuvenil I. Título II. Freitas, Laura Marise de II. Araújo, Renan Vinicius de
	CDD 500.80981
21-0841	CDU 50-051(81)

Rua da Quitanda, 86, sala 218 — Centro
Rio de Janeiro, RJ — CEP 20091-005
Tel.: (21) 3175-1030
www.harpercollins.com.br

À Diana, nossa editora, que abraçou a ideia, tornou este livro possível e definitivamente sabe contar até 52, e à sua solicitação de que escrevêssemos uma dedicatória, sem a qual teríamos lançado o livro um mês antes.

PARA QUE SERVE ESTE LIVRO?

Os primeiros cientistas surgiram na Grécia antiga nos séculos VI e V antes de Cristo, quando Empédocles afirmava que... Zzzz... Ai, que chato, né?

É bem provável que você já estivesse revirando os olhos e procurando algo melhor para ler se o livro realmente começasse *assim*.

Mas calma!

Viemos mostrar que não apenas qualquer um pode ser um cientista como falar de ciência pode ser muito divertido!

Antes de mais nada, queremos explicar algumas coisas importantes para que você tire o máximo de proveito da leitura. Primeiro: você pode ler na ordem que quiser!

Nossos 52 cientistas estão apresentados em ordem cronológica, ou seja, de acordo com a data de nascimento. Duas coisas importantes que você vai notar: **1)** há menos mulheres do que homens, e elas começam a aparecer com mais frequência à medida que o tempo avança; **2)** com exceção de um cientista, o Juliano Moreira, todos são brancos. O que essas duas coisas significam? Bem, muita coisa, mas, sem dúvida, podemos adiantar que homens brancos *não* têm mais capacidade para serem cientistas do que mulheres e pessoas negras. Fato é que, antigamente, mulheres não podiam estudar, ou eram malvistas pela sociedade se o fizessem, e pessoas negras tinham pouco acesso à educação básica (que dirá à educação superior). Isso sem falar em discriminações que ainda hoje ocorrem em diversos setores da sociedade. Aos poucos, temos visto uma diversidade maior de gênero e etnias em lugares de destaque na carreira científica, mas a realidade ainda está longe de ser a ideal.

Ah, um detalhe importante: nem todos os cientistas são brasileiros de nascimento, mas todos viveram (alguns ainda vivem, como a Mayana Zatz) por muito tempo no Brasil, chegando a se naturalizar brasileiros, e foram cruciais para a ciência nacional.

Selecionar esses 52 nomes foi uma tarefa muito difícil, o que exigiu que fizéssemos um recorte da ciência que usaríamos como base para guiar nossas escolhas. No capítulo **Afinal, o que raios é ciência?**, você vai entender melhor que a ciência tem vários tipos de abordagem, desde as mais observadoras e filosóficas até as mais experimentais e intervencionistas. Optamos por escolher cientistas que se encaixam na segunda abordagem e que desenvolveram trabalhos que resultaram em algum tipo direto de intervenção na sociedade, em uma construção, em uma célula ou na mudança de áreas da educação.

Mas calma (de novo)!

Os nossos cientistas mais "filosóficos" de extremo prestígio e importância, como o geógrafo Milton Santos, não foram esquecidos e estão no capítulo **Peraí que ainda não acabou: mais cientistas pra você!**. (Desculpe, nós mentimos sobre serem apenas 52 cientistas. Mas, ei, mais cientistas pelo mesmo preço é só vantagem, né?) Nessa seção, você vai encontrar mais alguns nomes importantes do nosso passado e presente científicos.

E não só de mostrar cientistas formados e consagrados vive este livro, não! Na seção **Chegou a sua vez!**, você vai aprender quais os caminhos possíveis para se tornar um cientista como os que apresentamos aqui. É lá também que vamos contar *onde* é que se faz ciência no Brasil. É bem possível que você seja vizinho de uma instituição de pesquisa incrível e nem saiba!

Também dedicamos um capítulo a alguns cientistas brasileiros que prometem grandes feitos para o futuro. Em **Cientistas rumo ao infinito... e além!**, você conhecerá um pouco do que essa galera anda tramando.

Já em **Divulgadores de ciência** compartilhamos o nome de algumas pessoas e canais que estão junto com a gente na busca de tornar o conhecimento científico acessível e descomplicado.

Por fim, vale dizer que nas últimas páginas do livro há um **Glossário** com o significado de algumas palavras mais difíceis, uma **Lista das siglas** com o nome completo de todas as instituições que aparecem por aqui, e, claro, as **Referências bibliográficas**, com as fontes consultadas.

Nosso intuito é mostrar que cientista não é só o cara de jaleco branco rodeado de tubos de ensaio que sabe *tudo* de *todas* as áreas da ciência, como vemos em filmes e desenhos animados. Aparece um E.T. no filme, chamam um cientista e ele sabe desde a anatomia do bicho até fazer um programa de computador para analisar a linguagem alienígena. A vida real não é nada parecida com isso: um cientista nunca trabalha sozinho nem domina todas as áreas da ciência, muito menos tem cara, cor ou gênero padrão! A ciência é coletiva, interativa, diversa, divertida e, acima de tudo, nossa! Ninguém deve se sentir excluído ou achar que não é capaz de fazer ciência, pois a ciência é para todos.

Dito isso, agradecemos por você ter escolhido este livro e desejamos uma ótima leitura!

SUMÁRIO

» AFINAL, O QUE RAIOS É CIÊNCIA? 8

Adolfo Lutz (1855–1940) 18
Emílio Marcondes Ribas (1862–1925) 20
Vital Brazil (1865–1950) 22
Juliano Moreira (1872–1933) 24
Oswaldo Cruz (1872–1917) 26
Carlos Chagas (1879–1934) 28
Fritz Feigl (1891–1971) 30
Bertha Lutz (1894–1976) 32
Djalma Guimarães (1894–1973) 34
Samuel Pessoa (1898–1976) 36
Gleb Vassielievich Wataghin (1899–1986) 38
Carmen Portinho (1903–2001) 40
Nise da Silveira (1905–1999) 42
Joaquim da Costa Ribeiro (1906–1960) 44
José Reis (1907–2002) 46
José Ribeiro do Valle (1908–2000) 48
Maurício Rocha e Silva (1910–1983) 50
Paulus Pompeia (1911–1993) 52
Graziela Barroso (1912–2003) 54
Euryclides de Jesus Zerbini (1912–1993) 56
Fernando Lobo Carneiro (1913–2001) 58
Marcelo Damy (1914–2009) 60
Mário Schenberg (1914–1990) 62
Aristides Leão (1914–1993) 64
Leônidas Deane e Maria Deane (1914–1993; 1916–1995) 66
Veridiana Victoria Rossetti (1917–2010) 68
Maria Laura Mouzinho Leite Lopes (1917/1919–2013) 70
José Leite Lopes (1918–2006) 72
Carlos Ribeiro Diniz (1919–2002) 74
Crodowaldo Pavan (1919–2009) 76
Marta Vannucci (1921–2021) 78

Warwick Kerr (1922-2018) 80
Carolina Martuscelli Bori (1924-2004) 82
César Lattes (1924-2005) 84
Aziz Ab'Saber (1924-2012) 86
Johanna Döbereiner (1924-2000) 88
Sérgio Pereira da Silva Porto (1926-1979) 90
Silvia Lane (1933-2006) 92
Sérgio Henrique Ferreira (1934-2016) 94
Rosa Ester Rossini (1941-presente) 96
Mayana Zatz (1947-presente) 98
Helena Nader (1947-presente) 100
Carlos Augusto Monteiro (1948-presente) 102
César Gomes Victora (1952-presente) 104
Paulo Artaxo (1954-presente) 106
Miguel Nicolelis (1961-presente) 108
Álvaro Avezum (1962-presente) 110
Flávio Kapczinski (1963-presente) 112
Sidarta Ribeiro (1971-presente) 114
Suzana Herculano-Houzel (1972-presente) 116
Artur Ávila (1979-presente) 118

» **PERAÍ QUE AINDA NÃO ACABOU: MAIS CIENTISTAS PRA VOCÊ!** 120

» **CHEGOU A SUA VEZ!** 125

» **CIENTISTAS RUMO AO INFINITO... E ALÉM!** 133

» **DIVULGADORES DE CIÊNCIA** 136

» **GLOSSÁRIO** 138

» **LISTA DAS SIGLAS** 141

» **REFERÊNCIAS BIBLIOGRÁFICAS** 144

» **SOBRE OS AUTORES** 159

AFINAL, O QUE RAIOS É CIÊNCIA?

É muito provável que você tenha chegado até aqui com a ideia, bastante comum, de que ciência é aquele negócio em que uma pessoa faz uns experimentos, explode umas coisas e descobre outras. Se esse for realmente o caso, saiba que você não está certo, mas tampouco está sozinho, e a culpa não é sua. A forma como a ciência é mostrada na cultura pop, nos filmes e até mesmo nos jornais e revistas induz à impressão de que fazer ciência é fácil, rápido e sempre obra de algum gênio estranho, antissocial e de cabelo bagunçado superdotado de inteligência. Vamos, então, aproveitar este momento para derrubar alguns mitos.

    O primeiro é essa história de "eureca!", ou seja, de a descoberta científica acontecer como se fosse uma ideia brilhante que surge de uma hora para a outra. A ciência é uma *ferramenta* que nos ajuda a compreender o mundo e a fazer descobertas, e existe um *processo* que leva ao desenvolvimento científico. As grandes descobertas de que ouvimos falar ao longo da história não foram feitas por um grande gênio trancado no laboratório, nem só os resultados de um cientista ou uma equipe são suficientes para verificar uma hipótese ou toda uma teoria. Na vida real, as descobertas são fruto da cooperação entre os cientistas, de ligar os pontos entre uma descoberta e outra. A ciência é *coletiva*, não é individual! E a frase atribuída ao famoso físico Sir Isaac Newton — "Se vi mais longe, foi por estar sobre ombros de gigantes" — representa muito bem isso.

    Por exemplo, você vai ver que César Lattes provou a existência do méson pi, mas isso só foi possível porque a partícula havia sido prevista teoricamente por outro cientista anos antes. Também vai descobrir que Sérgio Henrique Ferreira achou o fator potenciador da bradicinina, mas só depois que a própria bradicinina foi descoberta por Maurício Rocha e Silva. E, além disso, descobertas podem ser feitas por vários cientistas quase que ao mesmo tempo em lugares diferentes do mundo, e todas as novas descobertas dependem de trabalhos e hipóteses anteriores. Isso mostra que a ciência não é como um jogo de tabuleiro que você joga *sozinho*, avançando as casinhas isoladas e sequenciais. Está mais para um jogo de mímica no qual *todo mundo tenta acertar*, mas ninguém tem a resposta, então analisa os gestos em conjunto e tenta chegar a uma conclusão. Resumindo bem: a regra número um para ser um cientista é valorizar quem veio antes de você e a cooperação entre os cientistas da mesma área.

Não podemos nos esquecer de mencionar que a ciência, por ser um instrumento humano, tem um caráter social e subjetivo, cujas investigações são influenciadas pelo contexto histórico, cultural e político. Não dá para fazer pesquisas de melhoramento genético das vacas para um bife mais suculento na Índia, onde as vacas são sagradas, mas a pesquisa em engenharia para a construção de barragens é superincentivada na Holanda, que fica abaixo do nível do mar e sofre com o risco de inundações.

O segundo mito que já vamos derrubar logo de cara é a história de laboratórios, experimentos e explosões (embora explodir algumas coisas *em laboratório* seja muito legal, a gente admite). Nem todo cientista tem um laboratório cheio de tubos de ensaio e líquidos coloridos e perigosos. Em algumas áreas, o trabalho é no campo, e esse campo varia de acordo com o que se estuda: pode ser pesquisando no meio do mato, entrevistando pessoas nas cidades, procurando coisas no fundo do mar ou fazendo escavações arqueológicas, só para citar algumas possibilidades. Muitos cientistas, de todas as grandes áreas científicas, nem experimentos fazem, pois não é só a partir de experimentos e dados que chegamos a uma TEORIA (nas ciências humanas, o mais

---

Apesar de no dia a dia usarmos a palavra "teoria" como sinônimo de "ideia" ou "opinião", teoria, na ciência, não é a mesma coisa que uma simples opinião, mas um conjunto de explicações muito bem fundamentadas para descrever fenômenos que observamos. Na própria teoria, já são descritos os meios pelos quais ela pode ser comprovada em observações e/ou experimentos futuros, como se fossem peças faltando do quebra-cabeça das quais os cientistas estão cientes, mas que a tecnologia/conhecimento atual ainda não encontrou. Exemplos clássicos são a Teoria da Evolução e a Teoria da Relatividade, que foram comprovadas anos depois de sua publicação através de achados perfeitamente previstos por seus autores. Isso não quer dizer que elas sejam absolutas: podem ser contrariadas por novas evidências, como a teoria do átomo indivisível, que foi derrubada ao se descobrir que o átomo era formado por um núcleo e elétrons que giram ao redor desse mesmo núcleo. No entanto, esse conhecimento derrubado não pode ser visto como inútil! A teoria do átomo indivisível, por exemplo, é usada até hoje para o estudo de gases por ser um modelo suficiente para essa área, o que mostra que o conhecimento é dinâmico e pode sempre ser reciclado.

comum é não existirem laboratórios de experimentação). Veja o exemplo da teoria da origem do universo, chamada Teoria do Big Bang: como é que a gente faria um experimento em laboratório para checar que essa expansão de matéria e energia aconteceu há 13,8 bilhões de anos? Ou ainda: como Charles Darwin faria experimentos para provar a sua Teoria da Evolução? Não dava para ele sair matando pessoas e animais por aí só para comparar seus esqueletos, né? Essas teorias são formuladas com base em observações do mundo e do universo e podem ser comprovadas através de achados que chegam depois, como os primeiros fósseis encontrados, que comprovaram que a Teoria de Darwin estava correta.

Muitas pessoas tentam invalidar teorias tentando achar uma coisinha nelas que esteja errada e usando isso para dizer "Olha lá, viu? A ciência não sabe de nada". Chegamos agora a outro mito bastante difundido: a ciência tem todas as respostas e é uma verdade inquestionável. Segure na mão de Darwin e repita comigo: *a ciência não é uma certeza nem uma verdade inquestionável*, mas um conjunto de conhecimentos que nos ajuda a confirmar (ou não) conceitos e teorias. Segundo Karl Popper, um famoso filósofo científico, a ciência jamais pode provar que uma hipótese está correta; pode apenas desmentir coisas. Cada experimento que fazemos e que resulta na confirmação de uma hipótese é uma prova de embasamento que mantém a ideia como verdadeira, até que novas experimentações possam reforçá-la ou refutá-la. Em alguns casos, a prova que dá embasamento ao conceito ou à teoria é bastante sólida, sendo improvável refutá-la, como o fato de que a Terra gira ao redor do Sol, de que a evolução das espécies é real, de que radiação causa câncer etc. Nesse sentido, podemos dizer que o propósito da ciência não é, de forma alguma, chegar à verdade absoluta, mas se *afastar* o máximo possível do erro.

E, para encontrar essas provas, não dá para cada um sair fazendo do jeito que bem entende, né? Já imaginou a bagunça que seria? É por isso que existe o chamado método científico, que é um sistema lógico do processo da ciência. Apesar de se chamar "método", ele não é nem de longe uma receitinha de bolo pronta que é só seguir. Vamos usar a analogia de um bolo: você pode argumentar que a receita é simples, bastando juntar ovo, farinha, açúcar, fermento, manteiga e leite. Misture tudo, asse no forno e pronto! Mas existem bolos sem ovo, sem fermento, sem leite, sem farinha, sem açúcar e até bolos que nem são assados no forno!

Isso quer dizer que não são bolos? De forma alguma! Mas quer dizer que temos vários métodos diferentes para obter cada um e todos variam a partir de uma receita-base. É o mesmo com a ciência: o método científico não é único, rígido e inflexível. Nem sempre todas as *etapas* do método científico estarão presentes e a *ordem* nem sempre é seguida.

Neste livro, é como se estivéssemos pegando apenas alguns tipos de bolo para delimitar os cientistas que escolhemos para estar aqui entre os 52 nomes. Se fôssemos incluir todas as definições de ciência e método, talvez o subtítulo deste livro fosse *252 brasileiros* e você ficasse com preguiça de ler tudo.

» O MÉTODO CIENTÍFICO:
A SEQUÊNCIA QUE (QUASE SEMPRE) O CIENTISTA SEGUE

No século XVII, um cientista chamado Francis Bacon, vasculhando os trabalhos de outro cientista de muitos anos antes, um árabe chamado Alhazen, formulou um método que otimizaria o entendimento do mundo e, assim, a construção do conhecimento. O método foi aceito por outros cientistas, como René Descartes, e consistia em fazer observações, formular hipóteses, fazer testes e chegar a uma conclusão. E, claro, para terem validade, essas conclusões deveriam ser discutidas com outros cientistas.

Para exemplificar isso, vamos usar um caso real que aconteceu em 1796 e é um modelo de aplicação do método científico "clássico" e completo, com todas as etapas seguidas. Naquela época, o mundo era assolado por uma doença terrível chamada varíola, causada por um vírus. Acontece que não eram só os humanos que pegavam a varíola: as vacas também eram afetadas (mas por um vírus diferente). Até que um médico chamado Edward Jenner **observou** que quem ordenhava as vacas com a doença não pegava a varíola humana ou a pegava numa versão bem mais fraca, que não causava muitos problemas. Com base nessa observação, ele formulou uma **hipótese**: as pessoas que pegam a versão mais fraca da doença (que vinha da vaca) ficam protegidas contra a versão mais forte (que vinha dos humanos). A partir dessa hipótese, ele resolveu fazer a **experimentação**: ativamente contaminou um menino de 8 anos com a varíola bovina (lembre-se: não havia ética para fazer experimentos no século XVIII). O menino contraiu a doença e sarou sem nenhuma sequela.

Então, a segunda parte da experimentação, que comprovaria sua hipótese, foi contaminar esse menino com a versão humana para ver se ele estava mesmo protegido. É certo que poderia ter dado *muito ruim* se a hipótese estivesse errada (hoje em dia, isso não seria aceito por nenhum comitê de ética), mas, felizmente, o menino não contraiu a doença, o que **comprovou** a hipótese de Jenner de que pegar a varíola da vaca protege as pessoas de pegar a varíola humana (ele também **repetiu** e **replicou** seus resultados usando outras crianças como cobaia, inclusive o próprio filho). Com isso, ele elaborou o conceito de imunização por vacina, palavra que vem do latim e significa justamente vaca (*vaccinae*). A varíola é, até hoje, a única doença dada por erradicada do planeta justamente por causa da vacinação!

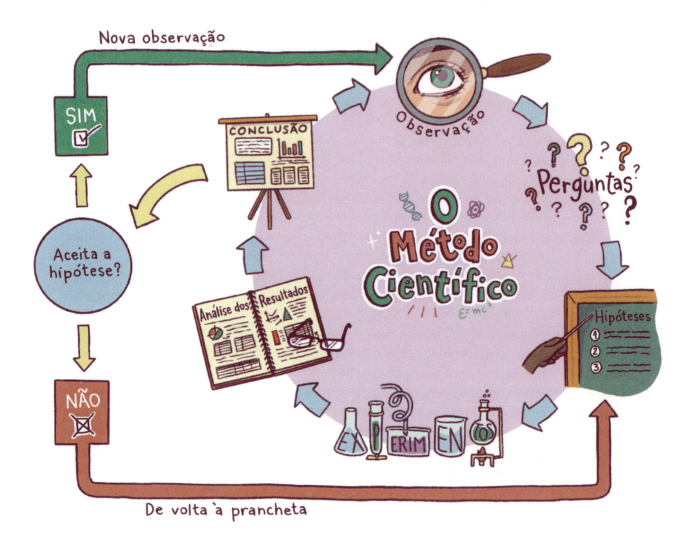

Graças a essa história do Jenner, podemos discutir outro aspecto da ciência: o fato de as *observações feitas pelos cientistas não serem neutra*s e sempre terem como base o pensamento e o conhecimento vigentes. Quando Jenner era vivo, ainda nem se conheciam os vírus, muito menos se tinha conhecimento de que doenças como a varíola eram causadas por seres microscópicos. Dessa forma, não tinha como ele fazer observações e experimentações mais profundas ou detalhadas, pois o conhecimento era limitado. Seguindo o mesmo raciocínio, Darwin tampouco tinha como comprovar pessoalmente e em detalhes sua teoria, porque ainda não haviam sido descobertas nem a molécula de DNA nem as ferramentas para estudá-lo. Isso para reforçar que a *ciência sempre estará dentro de um contexto* e avançará sempre de acordo com o conhecimento e a tecnologia existentes à época.

Beleza então, já conversamos sobre essa história de método. E como é que faz para dizer que coisas são *cientificamente comprovadas*?

A gente entra aqui no conceito de convergência global ou consenso científico. Dizer que uma coisa é *comprovada cientificamente* significa que houve toda uma *sequência lógica de acontecimentos* que, com base nas observações até determinado momento, permite concluir algo. Os mesmos achados têm que ser feitos por várias pessoas para que a conclusão seja cada vez mais robusta: quanto mais pessoas chegarem à conclusão xis, maiores as chances de ela não ter acontecido ao acaso e estar correta. Por exemplo, se mil artigos baseados nas experiências concluíram que medicamentos homeopáticos não passam de água, que não têm efeito medicinal algum, e apenas dez artigos sugerem algum efeito medicinal, podemos dizer que as evidências permitem concluir que possíveis melhoras vistas a partir do uso da homeopatia são fruto de um efeito placebo, não de uma ação do remédio no corpo. Por isso, não se baseie em relatos de conhecidos nem em figuras públicas, por mais que elas tenham muitos diplomas. Baseie-se nas evidências científicas e no consenso científico, que é o que a grande maioria dos profissionais de cada área defende.

Para encerrar esta seção, queremos fazer um convite: uma ótima forma de aprender é na prática! Então que tal começar a aplicar o método científico na sua vida? Você pode usá-lo para várias dúvidas que tiver no dia a dia! Por exemplo, será que tem "sujeira" na sua mão, mesmo que você não consiga ver? Qual é a melhor forma de deixar as mãos limpas? Você pode testar isso usando pão de fôrma, acredite se quiser. Pegue um pacote novo de pão, abra-o e, sem encostar muito no pão, já guarde uma fatia em um pote ou saco plástico fechado: ela vai ser o seu controle. Depois, pegue três fatias: em uma, você coloca a mão suja; na outra, coloca a mão depois de lavá-la com água e sabão; e, na última, coloca a mão depois de limpá-la com álcool em gel. Agora, ponha cada uma dessas fatias em um pote ou saco plástico fechado e espere pelo menos uma semana até ver os resultados. Que conclusão você pode tirar a partir desse experimento? Anote tudo em um caderno, divida com seus pares (família e colegas da escola) e discuta o que aconteceu. O que vocês aprenderam? Essa é só uma sugestão de experimento, mas, independentemente do que você fizer, compartilhe conosco o resultado. Vamos amar saber sobre seu primeiro experimento científico! Use a hashtag #ExperimentoDoPao e marque a gente (nossos arrobas estão no fim do livro, em nossas biografias).

» MAS NÃO É SÓ DE EXPERIMENTO QUE VIVE O MÉTODO CIENTÍFICO!

Os dois pontos iniciais do método científico são a observação e a formulação de uma hipótese, que nada mais é do que fazer perguntas. Isso significa que está na natureza do cientista **questionar** o que vê, e isso deve levá-lo a **analisar criticamente as informações** que recebe ou que obtém através de seu trabalho para chegar a uma conclusão.

Somos inundados de informações todos os dias, provenientes de diversos meios de comunicação, e nem sempre conseguimos diferenciar as falsas das verdadeiras. Por isso, questionar e analisar criticamente o que chega até nós é fundamental para exercitarmos nosso *pensamento crítico* e impedirmos que notícias falsas e enganosas circulem livremente. Não é incomum que mensagens com curas milagrosas ou questionando a credibilidade de práticas médicas e científicas muito bem consolidadas e embasadas sejam compartilhadas sem qualquer filtro nas redes sociais.

Em um primeiro momento, pode parecer bobagem se preocupar com isso, né? Afinal, é só você não acreditar e está tudo certo. Bem que poderia ser simples assim. Mas notícias falsas podem causar estragos horríveis e até a morte de pessoas. Para citar apenas um exemplo: em 2020, durante a pandemia de covid-19, circulou nos Estados Unidos a notícia (reforçada em rede nacional pelo então presidente Donald Trump) de que tomar alvejante (a água sanitária que normalmente temos em casa) talvez curasse a doença. Você pode estar pensando: ué, desde quando um político sem formação médica ou farmacológica entende de remédio? E você pensou certo. O centro de intoxicações recebeu inúmeros registros de pessoas que foram parar no hospital por causa dessa notícia falsa. Fica uma lição importante para ouvir cientistas, médicos e farmacêuticos, e não políticos, quando o assunto é remédio. A prática é perigosa em outros temas também: informações falsas podem fazer com que pessoas abandonem tratamentos e práticas comprovadamente seguros, como a vacinação. Foi justamente a partir de uma informação falsa (e já corrigida, mais de uma vez, por cientistas sérios e corretos) que surgiu o mito de que vacinas causam autismo, o que deu origem ao movimento dos *anti-vaxx* (termo em inglês para "antivacinação"). Esse movimento fez ressurgir doenças que haviam sido erradicadas em vários países, causando muitas mortes.

Por isso, conferir as informações que recebemos antes de passá-las adiante deve ser a regra número um. Montamos uma listinha que você pode usar para despertar o cientista que há em você e, de quebra, proteger pessoas vulneráveis de receber conteúdos que podem até mesmo colocar a vida delas em risco. Vamos lá:

FONTE: desconfie imediatamente se a mensagem ou o vídeo não citar as fontes das informações ou, ainda, mencionar fontes vagas e não rastreáveis, como "médicos italianos", "cientistas norte-americanos" ou "Dr. Li de Shenzhen" (pra quem não sabe, Shenzhen é uma cidade, não um sobrenome). Informações confiáveis sempre virão de pessoas reais que você consegue facilmente achar em uma busca no Google.

DATA: a ausência de data junto à informação ajuda o boato a ter vida longa na internet e circular eternamente, em geral ressurgindo de tempos em tempos. Notícias reais estão sempre marcadas por uma data específica.

AUTOR: desconfie se as informações não tiverem autoria ou se o autor não for identificável. Notícias reais sempre vêm com o nome do jornalista que as escreveu ou do veículo onde foram publicadas.

ERROS DE PORTUGUÊS: fontes confiáveis de informação são sempre pessoas que sabem se comunicar e escrever bem, por isso quase não cometem erros graves de escrita. Mensagens falsas, por outro lado, são cheias de erros de ortografia, pontuação e concordância.

APELO VIRAL E DE EXCLUSIVIDADE: notícias falsas costumam vir acompanhadas de frases do tipo "não estão divulgando isso" ou "não querem que você saiba" e "compartilhe", e ainda são noticiadas por uma única fonte. Se a informação for verdadeira, vai estar em todos os jornais de maior circulação do país e você a encontrará facilmente em uma busca na internet.

AFIRMAÇÕES DE MILAGRE E CURAS FÁCEIS: é muito comum que alegações extraordinárias sejam feitas em mensagens falsas, sempre com coisas disponíveis no cotidiano: "comer fubá de cabeça para baixo cura dengue", "enfiar a mão na farinha de trigo cura queimadura". Se isso realmente fosse verdade, por que não estaria sendo usado nos hospitais e no resto do mundo? Será mesmo que aquela pessoa é a única que sabe a verdade? Não, né? Pode apostar que é mentira.

AGÊNCIAS E SITES DE CHECAGEM: essas plataformas têm equipes especializadas para rastrear informações falsas e checar a veracidade de notícias, sempre mostrando o passo a passo que seguiram para conferir tais informações. Se você ficar na dúvida sobre a mensagem ou o vídeo que recebeu, procure saber se já foram analisados por esses sites. Alguns dos mais conhecidos são: E-farsas, Boatos.org, Aos Fatos e Checagem da AFP. Além deles, os grandes jornais costumam ter seções dedicadas à investigação de informações.

Essa pequena lista ajuda a identificar informações falsas no cotidiano, exercitando seu pensamento crítico. Para completar, deixamos uma última dica: acompanhe o trabalho de divulgadores e comunicadores de ciência! Eles são pessoas treinadas para avaliar e interpretar criticamente as informações científicas e podem ajudá-lo no processo. Ao final deste livro, você encontra uma seção com alguns nomes para acompanhar nas redes sociais.

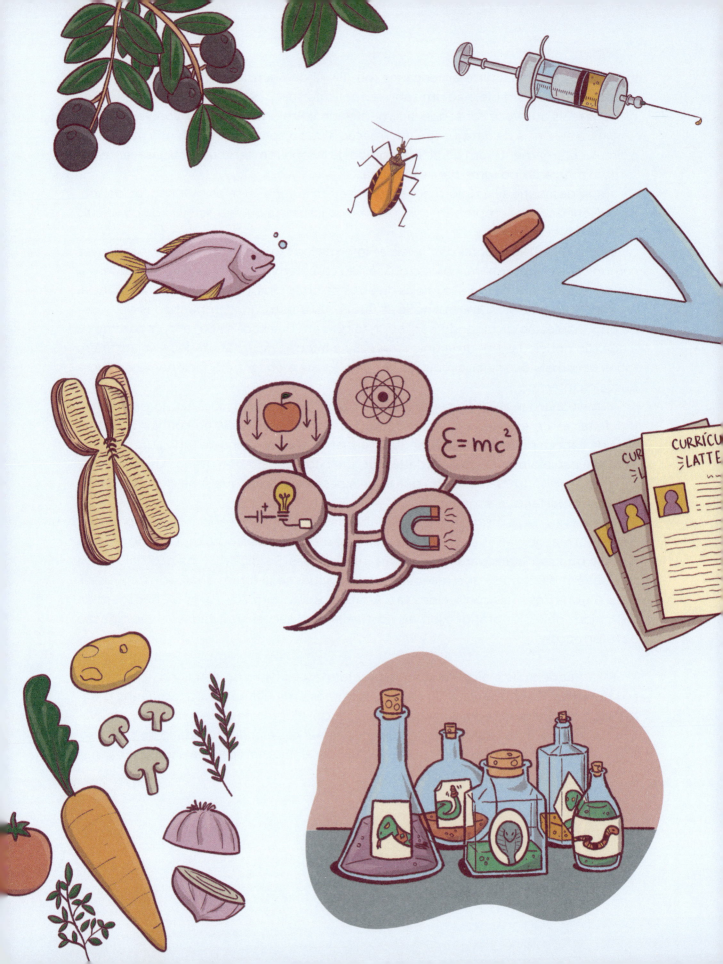

ADOLFO LUTZ
(1855–1940)

» PAI DA MEDICINA TROPICAL

Adolfo Lutz foi pioneiro na pesquisa de doenças infecciosas em regiões tropicais! Suas descobertas foram cruciais para o estudo e para o controle da febre amarela, da malária e de diversas outras doenças.

Foi ele o responsável por identificar a blastomicose sul-americana (chamada, por isso, de "moléstia de Lutz"), uma doença grave causada por um fungo que ataca os pulmões e pode se disseminar pelo corpo todo. Foi também o primeiro cientista latino-americano a confirmar como a febre amarela é transmitida pelo mosquito *Aedes aegypti* — o mesmo responsável, por exemplo, pela dengue.

Você já ouviu falar desse mosquito? Provavelmente, sim: é aquele mosquito que adora uma água parada (a água que fica acumulada dentro de pneus, embaixo de vasinhos de plantas, em baldes esquecidos pela casa...). Lá, eles se reproduzem e saem picando pessoas por aí (típico de mosquitos, né?). Acontece que, depois que picam uma pessoa infectada com determinados vírus, eles passam a transmiti-los para as outras pessoas que picarem, e que podem ser várias!

Graças a Lutz, hoje sabemos que não deixar objetos com água parada pode salvar vidas! Na sua casa tem água parada? Se tiver, já sabe: deixe-a tampada ou jogue fora.

Adolfo estudou ainda várias doenças encontradas no Brasil, como cólera, malária, febre tifoide, ancilostomíase ("doença do Jeca Tatu" ou "amarelão", por causa da cor que deixa na pele), esquistossomose ("barriga d'água") e leishmaniose. Também descreveu várias novas espécies de anfíbios e insetos. Não à toa, algumas delas foram nomeadas em sua homenagem, como a perereca *Aplastodiscus lutzorum*.

E não para por aí! Ele foi o primeiro cientista a afirmar que a tuberculose bovina poderia ser transmitida às pessoas por meio do consumo do leite de vaca. Foi ridicularizado pelos pecuaristas na época, mas sua afirmação estava correta: graças a ele, o leite passou a ser pasteurizado para consumo humano.

Filho de imigrantes suíços, Adolfo Lutz nasceu em 18 de dezembro de 1855 no Rio de Janeiro (RJ). Formou-se em medicina na Suíça e foi discípulo de Louis Pasteur na França. Teve um pequeno consultório em Limeira (SP) por seis anos. Aí, após trabalhar com outros cientistas renomados pelo mundo, Adolfo voltou em definitivo ao Brasil para dirigir o Instituto de Bacteriologia do Estado de São Paulo, que depois acabou recebendo seu nome: Instituto Adolfo Lutz.

Trabalhou com os médicos Emílio Ribas e Vital Brazil, ajudando Vital a construir o Instituto Butantan (São Paulo), um dos mais importantes do país. Terminou sua carreira no Rio de Janeiro, no Instituto Oswaldo Cruz, e faleceu em dezembro de 1940.

"O que sempre desejei em criança foi ser pesquisador em ciências naturais. Vou acumulando todos os conhecimentos de história natural que consigo adquirir, faço observações próprias e, durante as férias, estudo todos os livros de biologia ao meu alcance."

Em carta enviada à sua mãe em fevereiro de 1871, aos 15 anos.

Adolfo Lutz conheceu sua esposa, Amy Fowler, quando trabalhou no hospital Kalihi, no Havaí (Estados Unidos), para pesquisar a lepra. Amy era enfermeira, e os dois tornaram-se próximos porque eram os ÚNICOS FUNCIONÁRIOS QUE NÃO TINHAM MEDO DE SE APROXIMAR DOS PACIENTES LEPROSOS.

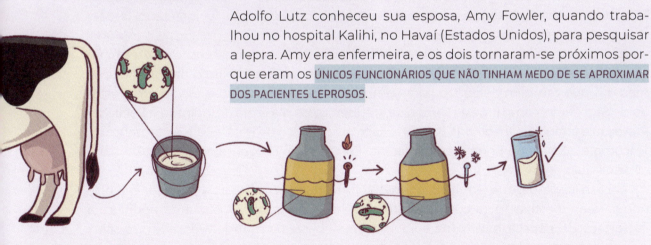

Adolfo viveu durante o período escravista do Brasil, mas era totalmente contra a escravidão e a violência à qual os negros eram submetidos. Vivia sendo chamado para tratar escravos em fazendas e exigia que fossem bem cuidados, em cama e com cobertor, para que a consulta acontecesse, o que era impensável na época.

EMÍLIO MARCONDES RIBAS
(1862–1925)

» COMO CONTROLAR EPIDEMIAS

Emílio Ribas foi um dos maiores médicos sanitaristas do Brasil e um dos principais responsáveis por conter a epidemia de febre amarela no país no início do século XX.

Foi ele quem sugeriu, com base em trabalhos do médico cubano Finlay e de comunicações com médicos norte-americanos, que a febre amarela não era transmitida de uma pessoa para outra, e sim por meio de um vetor, o mosquito *Aedes aegypti*. Essa hipótese não foi aceita de imediato, e Emílio, junto de outros pesquisadores, passou anos fazendo experimentos até conseguir prová-la, o que aconteceu de um jeito inusitado: o médico foi cobaia do teste, deixando-se picar pelos mosquitos. Resultado: foi infectado. Isso foi essencial para entender a doença e conter o surto.

Descoberta feita, Emílio atuou promovendo medidas sanitárias como a exterminação do mosquito transmissor, a limpeza de rios e o saneamento básico para as cidades, medidas que também defendeu para combater outras doenças que assolavam o estado de São Paulo, como a peste bubônica, a tuberculose e a lepra. Implantou a Seção de Proteção à Infância, a Inspetoria Sanitária Escolar, o Serviço de Profilaxia e Tratamento do Tracoma e a Seção de Engenharia Sanitária. Foi também dirigente do Serviço Sanitário de São Paulo.

Foi Emílio, ainda, que, em 1898, orientou o governo de São Paulo a produzir seu próprio soro antipestoso (para curar a peste bubônica), reduzindo custos e tempo com a importação. Na época, havia uma epidemia dessa peste no mundo todo, e Emílio sabia que os riscos para a população seriam grandes se não agisse logo. Para a produção do soro, o governo fundou o que hoje é conhecido como Instituto Butantan, um dos maiores produtores de vacinas do mundo.

Podemos dizer, sem sombra de dúvidas, que sem ele e suas medidas sanitárias com evidências científicas teríamos passado por epidemias muito mais devastadoras no Brasil bem antes de o novo coronavírus aparecer.

Emílio Marcondes Ribas nasceu em 11 de abril de 1862 em Pindamonhangaba (SP). Em 1882, mudou-se para a capital nacional, na época o Rio de Janeiro, para cursar a Faculdade de Medicina da UFRJ, formando-se em 1887. Iniciou sua vida profissional como clínico no interior de São Paulo e, em 1896, foi escolhido para o cargo de inspetor sanitário do Estado no interior, quando ficou encarregado do controle de diversos surtos epidêmicos de febre amarela. Isso marcou sua trajetória como médico sanitarista e resultou em sua nomeação como diretor do Serviço Sanitário de São Paulo, cargo no qual permaneceu por vinte anos.

Faleceu em dezembro de 1925.

Em homenagem a Emílio, O HOSPITAL DE ISOLAMENTO DE SÃO PAULO PASSOU A CHAMAR-SE HOSPITAL EMÍLIO RIBAS em 1932, hoje mudado para Instituto de Infectologia Emílio Ribas.

"O meu espírito estava inclinado a não mais acreditar no contágio direto, como secularmente foi ensinado."

Sobre como acontecia a transmissão da febre amarela, em conferência no Centro Acadêmico Oswaldo Cruz, da FMUSP, em 1922.

Emílio teve de ter pulso firme em suas decisões, na época controversas, mas que ele declarava serem apenas o que suas observações em hospitais demonstravam. Em certa ocasião, a população local se revoltou contra suas medidas e armou uma rebelião. Para controlá-la, o médico recrutou detentos da prisão. A rebelião foi contida, e dois anos depois a epidemia foi declarada extinta.

VITAL BRAZIL
(1865–1950)

» COMBATE A VENENOS E EPIDEMIAS

Vital Brazil liderou o combate a diversas doenças, como a febre amarela, em São Paulo, e a cólera, no Vale do Paraíba. E foi vital (perdoe o trocadilho!) para identificar e conter o surto de peste bubônica em Santos, em 1899.

Apesar de ter sido um grande médico sanitarista, foi em outra área que se destacou mais. Vital foi pioneiro nas pesquisas e na produção de soros específicos contra o veneno de animais peçonhentos, isto é, aqueles que não só são venenosos, como também podem injetar o veneno em nós — por exemplo, cobras e escorpiões. Na época, um mesmo soro, descoberto por cientistas franceses, era usado para todos os tipos de picada de cobra. No entanto, Vital observou que ele só era eficaz contra picadas de naja. Após muitos experimentos, ele descobriu que, para cada animal, era necessário um soro diferente, algo chamado "especificidade dos soros". Até hoje, nenhum outro método de neutralização da peçonha (como é chamado o veneno de animais peçonhentos) é tão eficaz quanto o criado por Vital.

Em 1917, em posse da patente do soro antiofídico, Vital teria direito a receber uma quantia de dinheiro sempre que ele fosse produzido e comercializado. Porém, em um gesto raro e muito gentil, decidiu imediatamente doá-la ao governo brasileiro, abrindo mão de uma grande soma para beneficiar a população brasileira.

Vital ajudou a fundar e foi diretor do Instituto Butantan (inicialmente chamado Instituto Serumtherápico) em 1901, em São Paulo, que fabricava boa parte do soro antipestoso (contra a peste bubônica) do Brasil para conter o surto da época, e do Instituto Vital Brazil, no Rio de Janeiro, em 1919, ambos referências na produção dos soros contra peçonha. Criou, cofundou e colaborou com diversas revistas científicas, como a *Revista Médica de São Paulo*. Publicou dezenas de artigos científicos, sendo reconhecido mundialmente por sua contribuição à ciência e à medicina.

Vital Brazil Mineiro da Campanha nasceu em Campanha (MG) em 28 de abril de 1865. Mudou-se para São Paulo aos 15 anos, onde fez seus estudos preparatórios. Formou-se em medicina no Rio de Janeiro em 1891 e retornou a São Paulo para trabalhar como clínico e médico sanitarista na Força Pública e no Serviço Sanitário. Em 1897, ingressou no Instituto Bacteriológico de São Paulo, onde trabalhou na equipe de Adolfo Lutz (que você conhece neste livro!). É membro honorário da Academia Nacional de Medicina, e em sua homenagem foi fundado o Museu Vital Brazil, que fica na casa onde ele nasceu.

Faleceu em 1950.

"O senhor não me deve nada, pelo contrário, eu é quem lhe devo a grande oportunidade de testar e divulgar a eficiência do nosso soro."

Em resposta ao agradecimento de John Toomey, tratador de cobras picado por uma cascavel que foi medicado com o soro antiofídico de Vital em 1916.

Seu nome (formado pelo nome do santo do dia + seu país + estado + cidade em que nasceu) foi inventado pelo seu pai, que ESTAVA BRIGADO COM A FAMÍLIA e queria que seus filhos construíssem um FUTURO SEM VÍNCULOS POR HERANÇA E PARENTESCOS.

Vital era descrito como um amante da ciência, muito inteligente, desprovido de vaidade e bens materiais, movido pelo desejo de servir ao seu país e à humanidade. Ele dizia que a única felicidade da vida está na consciência de ter realizado algo útil em benefício da comunidade.

23

JULIANO MOREIRA
(1872–1933)

» PSIQUIATRIA HUMANIZADA

Camisas de força, grades, quartos escuros... Não, não é filme de suspense (antes fosse!): era o "tratamento psiquiátrico" no Brasil antes de o médico Juliano Moreira entrar em ação.

Juliano já era um médico dermatologista reconhecido mundialmente quando se tornou professor da Faculdade de Medicina da Bahia e começou a fazer pesquisas na área de psiquiatria. Tendo sido o primeiro a descrever no país a leishmaniose cutânea, inovou ao unir dermatologia e psiquiatria e investigar as condições psíquicas de pessoas com hanseníase, sífilis, tuberculose e outras doenças infecciosas. Até então, ninguém nunca havia considerado que tais doenças pudessem ter algum impacto na saúde mental dos pacientes.

Seu grande legado, porém, está no tratamento de distúrbios mentais. No seu tempo, estava em alta o racismo científico, uma crença preconceituosa disfarçada de ciência segundo a qual a raça branca era superior a todas as outras. Adeptos dessa crença afirmavam que as doenças mentais surgiam com a mistura de raças, e Juliano atuou para rebater essa tese, defendendo que a origem dos transtornos estava relacionada a questões físicas e sociais, como educação e saúde precárias — mais tarde, descobriu-se que questões biológicas que podem afetar qualquer pessoa, independentemente de cor e raça, também teriam influência.

Como diretor do primeiro hospital brasileiro dedicado ao tratamento de pessoas com distúrbios mentais, Juliano criou um modelo de atenção mais humanizado, sem camisas de força nem grades nas janelas, com oficinas para que os pacientes se dedicassem a trabalhos manuais e artísticos que contribuiriam para sua recuperação (tal abordagem seria ampliada por Nise da Silveira, que também está neste livro). Ele também implementou exames laboratoriais dentro do hospital, contribuindo para um entendimento mais amplo das doenças mentais, e transformou-o em uma grande escola de psiquiatria, formando médicos e professores.

Juliano Moreira nasceu em 6 de janeiro de 1872 em Salvador (BA). Descendente de escravos, enfrentou muitos obstáculos para estudar, mas, com a ajuda do padrinho, entrou na Faculdade de Medicina da Bahia aos 13 anos (na época, isso não era tão estranho), tornando-se um dos primeiros médicos e cientistas negros do país. Formou-se aos 18 anos e aos 23 já era professor.

Foi um dos fundadores da Sociedade Brasileira de Psiquiatria, Neurologia e Medicina Legal e da ABC, da qual foi presidente. Em 1925, recebeu Albert Einstein na primeira visita do cientista alemão ao Brasil.

Em sua homenagem, o sanatório de Salvador chama-se Hospital Psiquiátrico Juliano Moreira e a UFBA criou um prêmio com seu nome. Faleceu em maio de 1933.

Durante uma de suas viagens, Juliano ficou internado na cidade do Cairo, no Egito, para se tratar de TUBERCULOSE. Foi no hospital que conheceu a enfermeira alemã Augusta Peick, por quem se apaixonou. Eles se casaram e viveram no Brasil até o fim de suas vidas.

"Quantas são as raças? Onde termina a raça branca? Onde começa a amarela? Onde acaba? Onde começa a preta?"

Em sua tese para a conclusão do curso de medicina, questionando a desigualdade racial da época.

Para defender sua visão de tratamento humanizado, Juliano dizia que manter o doente atrás de grades podia até garantir que ele ficasse protegido de suas "más inclinações", mas certeza mesmo só havia uma: isso não era, de forma alguma, um tratamento.

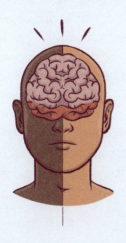

OSWALDO CRUZ
(1872–1917)

» SAÚDE BASEADA EM CIÊNCIA

Oswaldo Cruz foi um dos maiores médicos sanitaristas e cientistas do Brasil. Foi diretor do Instituto Soroterápico Federal, criado para produzir o soro antipestoso para controle da peste bubônica, e diretor-geral de Saúde Pública, cargo que equivale hoje a ministro da Saúde. Atualmente, o Instituto Soroterápico é conhecido como Fundação Oswaldo Cruz, em sua homenagem. Sim, a mesma Fiocruz responsável pela produção de vacinas contra a covid-19!

Sua primeira luta na Diretoria-Geral de Saúde Pública foi erradicar o surto de febre amarela no Rio de Janeiro, que durou de 1897 a 1906. Para isso, obrigou os hospitais a relatar internações, defendeu o isolamento dos doentes e a vacinação da população e estimulou a captura dos vetores da doença, como ratos e mosquitos. Essas medidas permitiam melhor controle do número e do perfil de infectados, redução da contaminação de pessoas saudáveis e menor chance de transmissão. A polícia sanitária instituída por ele era rigorosa, e, embora pouquíssimos médicos da época achassem tais práticas relevantes, elas deram resultado: em 1907, a febre amarela foi erradicada no Rio de Janeiro e, anos depois, no Pará.

No controle do surto de varíola, em 1904, Oswaldo tornou obrigatória a vacina contra a doença, com punições e multas para quem não cumprisse sua determinação. A população, com pouca informação sobre o que estava acontecendo, começou a apresentar resistência, culminando na Revolta da Vacina. O governo conseguiu conter a revolta, mas retirou a obrigatoriedade da vacina. No entanto, em 1908, em um novo surto da doença, o povo foi voluntariamente aos postos receber a imunização, e várias vidas foram poupadas. Nada como estar bem informado, não é?

Oswaldo foi um dos primeiros responsáveis por moldar a saúde pública e estabelecer a ciência como norteadora das políticas públicas de saúde no Brasil. Em sua homenagem, Carlos Chagas nomeou o agente causador da doença de Chagas de *Trypanosoma cruzi*.

Oswaldo Gonçalves Cruz nasceu em São Luiz do Paraitinga (SP) em 5 de agosto de 1872. Ingressou na Faculdade de Medicina do Rio de Janeiro aos 15 anos e formou-se em 1892. Mais tarde, especializou-se em microbiologia no Instituto Pasteur de Paris, tendo acumulado inúmeros prêmios e homenagens. Foi eleito para a ABL e prefeito de Petrópolis, reformou o Código Sanitário e reestruturou todos os órgãos de saúde e higiene do Brasil. Seu nome esteve em moedas, praças, faculdades, cidades e muitos outros. Faleceu em fevereiro de 1917.

Entrevistando o médico Ezequiel Dias para um estágio, perguntou: "Conhece alguma coisa de bacteriologia?". Ezequiel RESPONDEU QUE NÃO E FOI APROVADO. Tempos depois, Oswaldo explicou: "Se você soubesse alguma coisa, devia ser muito pouco, o que só serviria para torná-lo presunçoso e dificultar seu aprendizado. PREFIRO CERTOS IGNORANTES".

"Fé eterna na ciência."

Frase com que assinava seus livros.

Oswaldo ficou conhecido por uma célebre frase, dita em momentos de dificuldade financeira no Instituto Soroterápico Federal, que ilustra sua relação com o conhecimento e a ciência: "Corte-se até a verba para a alimentação. Mas não se sacrifique a biblioteca".

CARLOS CHAGAS
(1879–1934)

» TUDO SOBRE UMA DOENÇA

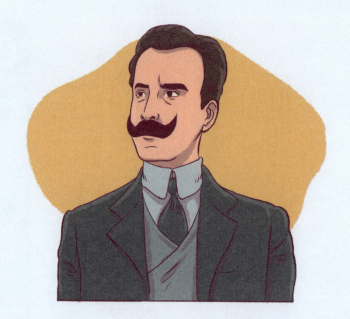

Se o nome Carlos Chagas parece familiar, é porque foi ele quem descreveu o agente causador, o ciclo de vida, o inseto transmissor, os hospedeiros, os sintomas e o diagnóstico do que conhecemos hoje como doença de Chagas. Entender uma doença assim, de cabo a rabo, é um feito único na medicina, não realizado por nenhum outro cientista até hoje.

Carlos também desenvolveu estratégias para o combate ao mosquito da malária que serviram de base para medidas adotadas no mundo todo e comandou campanhas para controlar a epidemia em vários lugares do Brasil. Foi numa delas que suas pesquisas tomaram novo rumo: ele viu que muitas pessoas morriam de uma doença desconhecida — como você já imagina, tratava-se da doença de Chagas.

E não parou por aí: em 1918, quando a gripe espanhola chegou ao Rio de Janeiro, foi Carlos quem comandou a campanha para combatê-la. Em uma semana, instalou hospitais e laboratórios de emergência e mobilizou parte da população. No fim do ano, a epidemia estava superada.

No Departamento Nacional de Saúde Pública, Carlos fez várias reformas para prevenir doenças e combater a tuberculose, a sífilis e a lepra. Criou o Serviço de Enfermagem Sanitária e a Escola de Enfermagem Anna Neri, introduzindo o ensino de enfermagem no Brasil. Assim como César Lattes, Carlos foi indicado ao Prêmio Nobel quatro vezes, mas não se saiu vencedor em nenhuma delas. Especula-se que haja dois principais motivos para isso: **1)** como sua descoberta envolvia uma doença tropical (que não atinge os países mais ricos), ela não era lá muito valorizada; **2)** alguns médicos duvidavam da veracidade da sua pesquisa. Há ainda uma suspeita de que o motivo tenha sido a impopularidade de Carlos na época, em função da vacina obrigatória contra varíola que implantou quando foi Ministro da Saúde. Mesmo que a comunidade científica aprovasse a vacina, talvez não quisessem premiar alguém rejeitado pela população.

Carlos Chagas nasceu em Oliveira (MG) em 9 de julho de 1879. Filho de cafeicultores, ele quase cursou engenharia por vontade de sua mãe, mas, para nossa sorte, em 1897, com 17 anos, seguiu seu próprio sonho e ingressou na Faculdade de Medicina do Rio de Janeiro. Aos 22 anos, foi trabalhar no Instituto Manguinhos, sob orientação de ninguém menos que Oswaldo Cruz (que você também conhece neste livro!). Em 1925, virou professor de medicina tropical na Faculdade de Medicina do Rio de Janeiro. Carlos se tornou um cientista reconhecido e premiado, e mais de 40 sociedades científicas estrangeiras o elegeram membro honorário. Faleceu aos 55 anos, em novembro de 1934.

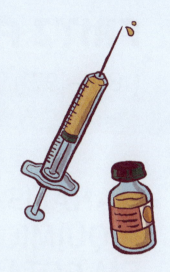

"Não vai demorar (para) que passemos adiante uma grande e bela ciência, que faz arte em defesa da vida."

Frase dita em 1928 que é quase "premonitória" dos tempos atuais, em que a ciência revolucionou o mundo.

A descoberta da doença de Chagas foi RECEBIDA COM DESCRÉDITO PELA COMUNIDADE MÉDICA BRASILEIRA, QUE A CHAMAVA DE "DOENÇA INVENTADA". Só depois da detecção da doença por pesquisadores argentinos, a descoberta foi aceita no Brasil — mas Carlos já tinha morrido.

Carlos sempre acreditou que as pessoas precisavam de conhecimento para melhorar vários aspectos de suas vidas. Com conhecimento, elas saberiam cuidar da própria higiene, dos objetos da casa, armazenar comida corretamente... E seriam mais saudáveis assim.

FRITZ FEIGL
(1891–1971)

» ANALISANDO A QUÍMICA EM GOTAS

Fritz Feigl foi um dos maiores químicos analíticos de todos os tempos, criador de um dos métodos mais importantes de análise do mundo: a Análise de Toque. Essa técnica revela se um composto está presente ou não na amostra analisada, mesmo que em pequenas concentrações. Você já fez um exame de urina para saber se estava tudo certo com sua saúde? Esse exame detecta substâncias a partir da mudança de coloração da urina, e foi o método de Fritz que possibilitou isso. As grandes vantagens do método são a economia de amostras e reagentes (só precisa de algumas gotinhas!), a rapidez e a facilidade — nenhuma máquina sofisticada é necessária! O método também é usado para coisas bem interessantes, como aquele ensaio forense de detecção de manchas invisíveis de sangue que a gente vê na TV para resolução de crimes.

Fritz e sua equipe realizaram milhares de reações e, com base nessas experiências, elaboraram vários conceitos de química usados até hoje, reunidos no prestigiado livro *Química de reações específicas*. Outra grande contribuição de Fritz foi para a indústria do café. Por causa da Segunda Guerra Mundial, o Brasil não conseguia exportar o café que produzia. Vendo o desperdício, o pesquisador buscou descobrir uma forma de usar o produto e teve a ideia de extrair sua cafeína. Assim, foi fundada a Companhia de Produtos Químicos Alka, empresa que processou 48 mil toneladas de café, gerando 500 toneladas de cafeína, um produto escasso em tempos de conflitos mundiais e valioso para a produção da Coca-Cola, por exemplo. Fritz fez uma grande fortuna com a empresa, o que possibilitou que doasse altas quantias para a construção de instalações universitárias e de pesquisas, como o Instituto Weissman de Ciência em Israel e o Departamento de Química da PUC-RJ. Além disso, a alta produtividade de Fritz (ele escreveu mais de 400 publicações!) ajudou a colocar o Brasil em evidência na comunidade científica internacional.

"Eu nunca esquecerei os benefícios recebidos do Brasil, a mim e minha família, durante a guerra; continuarei a trabalhar com entusiasmo para o desenvolvimento científico deste grande país. Nós somos brasileiros de coração."

Entrevista a repórter do New York Times que perguntou o motivo de não se mudar para os Estados Unidos, onde teria melhores condições do que no Brasil.

Fritz Feigl nasceu em Viena, na Áustria, em 15 de maio de 1891. Na Universidade de Viena, ele fez graduação e doutorado em química, vindo anos depois a ser professor titular. Fritz já tinha renome internacional quando, perseguido pelo nazismo por ser judeu, se refugiou no Brasil em 1940. Trabalhou no Laboratório da Produção Mineral do Ministério da Agricultura e, em 1945, se naturalizou brasileiro. Foi membro da Pontifícia Academia de Ciências do Vaticano, da Real Academia de Gotemburgo, da Academia Austríaca de Ciências e da ABC, além de professor honoris causa em diversas universidades pelo mundo. O mais importante prêmio para profissionais da química, no Brasil, leva o seu nome. Faleceu em janeiro de 1971.

Em 1938, Fritz chegou a ser CONFINADO EM UM CAMPO DE CONCENTRAÇÃO NAZISTA. Felizmente, sua esposa e seu filho estavam fora da cidade e não foram pegos. Sua esposa então PEDIU AJUDA AO EMBAIXADOR DO BRASIL, QUE PROVIDENCIOU A SOLTURA DE FRITZ e um visto para que os três viessem para o Brasil.

Fritz se dizia apaixonado pelo Rio de Janeiro. Costumava nadar nas famosas praias da cidade pela manhã e caminhava para o trabalho pelo calçadão. Com a pele sempre queimada do sol, ele recebeu o carinhoso apelido de "baiano". Costumava dizer que o Brasil era sua pátria e que tinha uma grande dívida de gratidão por ter sido acolhido no momento mais difícil de sua vida.

31

BERTHA LUTZ
(1894–1976)

» DIREITO DAS MULHERES

Você consegue imaginar um mundo em que a principal tarefa das mulheres era cuidar da casa? Em que elas eram julgadas por sua incapacidade de se tornar grandes profissionais em suas áreas e de eleger os representantes políticos de seu próprio país?

Pois esse mundo já existiu, e Bertha Maria Júlia Lutz, uma bióloga incrível, decidiu que estava na hora de mudar esse jogo. Aliás, esse e muitos outros: Bertha também lutou pela preservação do meio ambiente e defendeu a educação. Incansável, né?

Enquanto liderava estudos sobre anfíbios e répteis no Museu Nacional, Lutz atuava intensamente na política, sendo uma das figuras mais significativas do feminismo e da educação no Brasil no século XX. Ela esteve no grupo que criou a Associação Brasileira da Educação e ajudou a fundar a Liga para a Emancipação Intelectual da Mulher e a Federação Brasileira pelo Progresso Feminino, que liderou a campanha sufragista. Graças a esses movimentos, o direito ao voto feminino foi instituído no Brasil em 1932 (doze anos antes da França).

Em seu curto mandato como deputada federal, ela lutou por mudanças na legislação trabalhista para que as mulheres recebessem os mesmos salários e direitos que os homens. Também participou da elaboração da Constituição de 1934, em que a igualdade dos direitos políticos entre homens e mulheres foi finalmente instituída! E ainda defendeu o conhecimento científico brasileiro, o combate a doenças e a conservação da fauna e da flora brasileiras.

Como bióloga, Bertha descreveu diversas novas espécies, como a rã que nomeou em homenagem a seu pai, Adolfo Lutz (que também está neste livro!), a *Paratelmatobius lutzii*. E três anfíbios foram nomeados em sua homenagem — *Megaelosia lutzae, Dendropsophus berthalutzae* e *Scinax berthae* —, além de dois lagartos — *Liolaemus lutzae* e *Phyllopezus lutzae*. Já as espécies *Cycloramphus lutzorum, Crossodactylus lutzorum* e *Scinax lutzorum* foram nomeadas em homenagem tanto a ela quanto a Adolfo. Que família!

Bertha Maria Júlia Lutz nasceu em São Paulo (SP) em 2 de agosto de 1894. Formou-se em ciências naturais na Universidade Sorbonne, em Paris, e em 1919 prestou concurso público e foi aprovada para trabalhar no Museu Nacional, no Rio de Janeiro, tornando-se a segunda brasileira a entrar para o serviço público. Em 1933, formou-se em direito pela Universidade do Rio de Janeiro (atual UFRJ), o que deu início à sua carreira política e diplomática. Por sua participação na luta pelo direito das mulheres, foi eleita "Mulher das Américas" pela União das Mulheres Americanas, em Nova York, em 1951. Faleceu em 1976.

"Para a mulher vencer na vida, ela tem que se atirar. Se erra uma vez, tem que tentar outras cem. É justamente a nova geração a responsável por levar adiante a luta da mulher pela igualdade."

Frase célebre em defesa da luta feminina por direitos e igualdade em todas as áreas.

Bertha Lutz foi a única mulher da delegação brasileira na CONFERÊNCIA DE SÃO FRANCISCO, que criou a ONU em 1945. Foi ela uma das principais responsáveis pela inserção, na carta de criação da ONU, da IGUALDADE DE DIREITOS ENTRE HOMENS E MULHERES.

Bertha via no feminismo uma oportunidade de liberdade para as mulheres. Acreditava que as mulheres precisavam ter direito não só ao voto e aos cargos políticos, mas também ao trabalho e à educação, para se livrar da dependência dos homens.

DJALMA GUIMARÃES
(1894–1973)

» O BRASIL TEM NIÓBIO!

Djalma Guimarães foi responsável por descobrir, no Brasil, jazidas de nióbio, metal usado em indústrias de alta tecnologia. Graças a essa descoberta, hoje somos o maior exportador dessa substância no mundo!

Djalma foi um grande geocientista brasileiro. Isso significa que ele estudava as rochas, de onde vieram, qual sua idade, qual sua composição... e ele era ótimo nisso! Descobriu diversas rochas ao longo de sua carreira, e, nas geociências, quem descobre um novo mineral tem o privilégio de nomeá-lo — em geral, com o nome de um cientista. Entre os minerais que ele descobriu, temos a arrojadita, a pennaita e a giannetita, em homenagem a grandes nomes da mineração brasileira. Além disso, descreveu dois meteoritos!

A grande descoberta de Djalma foi na cidade de Araxá (MG). Lá, ele descobriu uma jazida de um minério chamado pirocloro, dentro do qual encontrou o nióbio.

O nióbio pode ser adicionado a ligas de metal para torná-las mais resistentes. Atualmente, ele é usado em um monte de construções e dispositivos, incluindo pontes, foguetes e satélites espaciais. E o Brasil tem a maior reserva do mundo! Estima-se que 98% do nióbio do planeta esteja aqui, e a exportação dele movimenta milhões de reais todos os anos.

Outra importante descoberta de Djalma foram minas de apatita, das quais podemos extrair o fosfato, um importante nutriente para o crescimento das plantas, essencial na agricultura. Até sua descoberta, em Araxá, em 1944, o Brasil importava 100% do fosfato usado, gastando muito dinheiro com a agricultura. Depois da descoberta de Djalma, foi possível aumentar a produção do país e desenvolver o agronegócio nacional!

Por toda sua contribuição na geologia, ganhou mais uma homenagem. Lembra que é comum dar nomes de cientistas para novos minerais? Pois é, em 2009, Daniel Atencio nomeou um mineral que descobriu em homenagem a ele: a guimarãesita.

Djalma Guimarães nasceu em 5 de novembro de 1894 em Santa Luzia (MG) e se graduou em engenharia civil e de minas na Escola de Minas de Ouro Preto (hoje incorporada à Ufop).

Foi professor emérito da escola em que se formou e da Universidade Federal de Minas Gerais. Em Belo Horizonte, existe o Museu de Mineralogia Professor Djalma Guimarães. Recebeu, à sua época, todos os prêmios nacionais que existiam. Em 1974, foi homenageado postumamente com a criação do Museu de Mineralogia Professor Djalma Guimarães, da Fundação Municipal de Cultura da Prefeitura de Belo Horizonte. Foi distinguido como professor doutor honoris causa pela Ufop e pela Universidade de Lisboa. Faleceu em outubro de 1973.

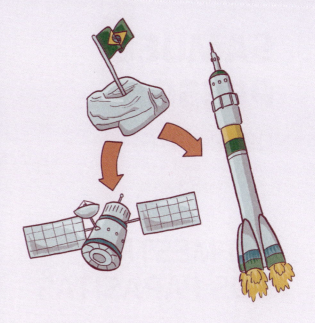

Um dos prêmios mais curiosos entre os prestígios que Djalma recebeu foi o TÍTULO DE PRÍNCIPE DOS GEÓLOGOS, DIRETAMENTE DAS MÃOS DE MADAME CURIE, uma das maiores cientistas de todos os tempos.

"Deixei a UDF simplesmente porque cheguei à conclusão de que estaria servindo melhor aos interessados do ensino deixando a cátedra ao meu assistente, que possui evidentemente melhores qualidades como professor. Ele é realmente um notável professor."

Em humilde fala após deixar a recém-fundada Universidade do Distrito Federal, em depoimento para o jornal Ciências para Todos, 24/9/1950.

Em seu discurso de doutor, falou sobre a natureza da geologia, que nasceu de lendas e crenças cheias de fantasias, pouco relacionadas com observações de fatos. Isso o motivou a aplicar o método científico em suas pesquisas na área.

SAMUEL PESSOA
(1898–1976)

» O MESTRE DOS PARASITAS

Era uma vez um personagem chamado Jeca Tatu, um homem pobre, que nunca estudou, andava descalço e não tinha bons hábitos de higiene.

Criado pelo escritor Monteiro Lobato no livro *Urupês*, Jeca Tatu simbolizava, de forma preconceituosa, um trabalhador rural do fim do século XIX e começo do XX, quando o poder público dava pouca atenção à população do campo, onde faltavam escolas, sistemas de esgoto, médicos e tantas outras coisas que hoje consideramos essenciais.

Foi nessa época que o médico Samuel Pessoa, especializado em parasitas, iniciou sua carreira, trabalhando justamente com uma população rural, a do interior do estado de São Paulo.

Talvez você já conheça essa história, mas teve uma época em que São Paulo produzia cada vez mais café, o que levou muita gente a se mudar para as fazendas da região em pouco tempo. A cidade, assim, cresceu desordenadamente e sofreu muito desmatamento, o que propiciou a propagação de doenças. E aí, sem escolas nem hospitais, muita gente ficou sujeita a doenças sem saber que alguns hábitos simples — como lavar as mãos — poderiam evitá-las.

Samuel foi pioneiro em relacionar a condição de vida dessas pessoas, a pobreza, a falta de saneamento e de comida com as doenças frequentes que elas desenvolviam, a maioria causada por parasitas. A atuação dele contribuiu para o saneamento rural no Brasil e para que o ensino e a pesquisa em parasitologia médica fossem institucionalizados, passando a incluir no currículo doenças que, embora afetassem a maioria da população brasileira, eram totalmente ignoradas até então.

Seus trabalhos foram cruciais para o combate à malária, à doença de Chagas, à esquistossomose e à leishmaniose, todas causadas por parasitas protozoários.

Após se aposentar do cargo de professor da USP, ele ajudou a criar departamentos de parasitologia e medicina tropical em várias faculdades do país, especialmente no Nordeste.

Samuel Barnsley Pessoa nasceu em São Paulo (SP) em 31 de maio de 1898, filho de pai brasileiro e mãe inglesa. Em 1916, entrou na recém-criada Faculdade de Medicina e Cirurgia de São Paulo, uma das que daria origem à USP em 1934.

Ao terminar a faculdade, ganhou uma bolsa da Fundação Rockefeller para trabalhar em postos de saúde no estado de São Paulo e estudar as doenças que predominavam entre as populações da zona rural. Aos 33 anos, tornou-se professor de parasitologia médica na Faculdade de Medicina de São Paulo. Lá, formou várias gerações de cientistas, e seu livro *Parasitologia médica* formou outros tantos: é um dos mais usados na formação médica até hoje! Faleceu em setembro de 1976.

"Estou mesmo com os que acham que os nossos médicos recém-formados deveriam passar alguns meses no sertão, a fim de se porem a par das necessidades médicas e mesmo sociais de nossos sertanejos."

Em discurso de formatura de uma turma de médicos da USP em 1940.

Quando Samuel era pesquisador em uma cidadezinha onde não havia médicos, ele levou remédios para atender a população. Até que eles acabaram, e A POPULAÇÃO, REVOLTADA, ACHANDO QUE SAMUEL TINHA ESCONDIDO OS REMÉDIOS, INVADIU O POSTO DE SAÚDE! Por sorte, um pescador o levou às pressas para outra cidade numa canoa.

Samuel acreditava que o excesso de especialização do cientista causava certo empobrecimento intelectual ao deixá-lo preso em uma área restrita do conhecimento. Para ele, isso levava a uma desconexão do pesquisador com um universo mais amplo de temas relacionados ao seu trabalho, impedindo-o de analisar a questão como um todo e ter mais ferramentas para trabalhar.

GLEB VASSIELIEVICH WATAGHIN

(1899–1986)

» PESQUISANDO FÍSICA NO BRASIL

Gleb Vassielievich Wataghin deu o primeiro passo para que o Brasil desenvolvesse uma infinidade de procedimentos médicos, tecnológicos e até ambientais, de tomografias e radioterapias a chips de computadores, de produção de energia elétrica à datação de fósseis.

E acredite: para fazer isso, ele não precisou ser especialista em nenhuma dessas áreas, mas simplesmente incentivar a pesquisa da física no Brasil.

Na década de 1920, os poucos cientistas brasileiros eram quase todos autodidatas ou privilegiados com oportunidade de viajar para fora do país. Até que, em 1934, foi fundada a USP, um centro voltado ao estudo das ciências. E Gleb fez parte do grupo de cientistas europeus que iniciou a pesquisa em física por aqui, montando, do zero, estruturas acadêmicas adequadas.

Agora, imagine que sua escola convida um professor de outro país para dar aula de algo de que você nunca ouviu falar. Você comenta com amigos de outras escolas, e nenhum deles terá aulas sobre isso. Você ficaria desconfiado? Pois Gleb era esse convidado. Quando ele chegou, dá pra imaginar que teve muitas dificuldades, administrativas, financeiras e até culturais. Mas, para nossa felicidade, ele resolveu tudo com energia, sabedoria e muito tato, alavancando a pesquisa científica brasileira.

Gleb era um físico teórico e experimental e pertenceu à última geração de físicos que entendiam tudo da área. Ele conseguiria dar aulas só improvisando sobre praticamente qualquer ramo da física do seu tempo, inclusive sobre raios cósmicos e física nuclear, áreas novas na época.

Ele ainda orientou cientistas como César Lattes, José Leite Lopes, Marcelo Damy, Mário Schenberg e Paulus Pompeia, que também estão neste livro! Gleb ajudou seus alunos a construir os primeiros aceleradores de partículas do país. Sua contribuição para a pesquisa no Brasil foi tão importante que o Instituto de Física da Unicamp leva seu nome.

Gleb Vassielievich Wataghin nasceu na antiga Birsula, na Ucrânia, em 3 de novembro de 1899. Para escapar da Revolução Russa, fugiu para a Itália, onde graduou-se em física em 1922 e em matemática em 1924. Contratado como assistente na Universidade Turinense, em 1929 virou livre-docente em física teórica. Em 1934, mudou-se para o Brasil e ajudou a fundar a antiga FFCL.

Em 1949, voltou para a Itália para ser professor da Universidade de Turim e, lá, conseguiu construir de novo uma escola de física experimental e teórica de alto valor científico. Foi membro da Academia de Ciências de Turim e em 1951 recebeu o Prêmio Feltrinelli, o mais importante de ciências e cultura da Itália. Faleceu em outubro de 1986.

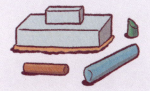

"Todos foram muito contra as minhas ideias... A única pessoa que me confortou foi Niels Bohr, que disse: 'Olha, não fique tão desesperado por essas críticas. Eu penso que somente não estamos preparados'."

Sobre uma reunião com outros cientistas, em entrevista de 1975 para o projeto História da Ciência no Brasil.

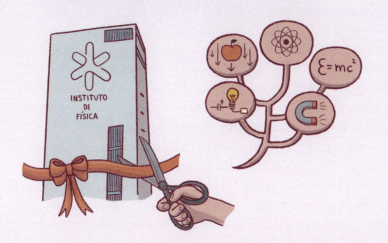

Gleb Wataghin nasceu em uma FAMÍLIA RUSSA de origens nobres, culta e rica. Seu pai era engenheiro e o responsável pelas ferrovias imperiais do sul da Rússia. Conviveu e trabalhou com NOMES DE PESO DA FÍSICA, como Niels Bohr, Werner Heisenberg, Linus Pauling e Erwin Schrödinger.

Uma das principais qualidades de Gleb como orientador era sua fé nos jovens. Ele era um grande entusiasta da evolução de seus jovens cientistas, costumava dizer que no seu progresso contínuo de repente eles desabrocham "como uma flor". Fazia questão de escolher os orientadores para seus alunos no exterior, e muitos inclusive eram ganhadores do Prêmio Nobel.

CARMEN PORTINHO
(1903–2001)

» HABITAÇÃO URBANA PARA TODOS

Quando os centros urbanos ainda se desenvolviam para acomodar a população, Carmen Portinho trouxe ao Brasil o conceito de habitação popular, que aprendeu estagiando em Londres no fim da Segunda Guerra Mundial, quando a Inglaterra enfrentava a necessidade de reconstrução e remodelação de suas cidades destruídas.

Foi pensando em dar conta de acomodar, em uma só cidade, uma população que não parava de crescer que Carmen e seu companheiro, o arquiteto Affonso Reidy, projetaram e construíram, nos bairros de São Cristóvão e da Gávea, no Rio de Janeiro, conjuntos residenciais que eram muito mais do que "um teto para dormir": incorporavam também serviços como escola, mercado, lavanderia, centro sanitário e centro comercial. Os projetos, inspirados no arquiteto francês Le Corbusier, que preconizava que as construções acompanhassem a topografia do terreno, levaram Carmen a se tornar uma engenheira de renome no Brasil e no mundo.

Ainda em 1936, foi a autora do estudo preparatório para o projeto da futura capital do Brasil em Brasília (a capital do Brasil era o Rio de Janeiro). Carmen se apaixonou pelo urbanismo (o estudo da arquitetura das cidades), algo ainda novo na época, e defendeu seu doutorado no tema em 1939, o que a tornou a primeira mulher brasileira a receber esse título.

Analisando as deficiências das cidades construídas em séculos anteriores, decidiu dar mais dinamismo e função às cidades modernas. De acordo com suas análises, nenhuma atendia às quatro funções primordiais do urbanismo: habitação, transporte, trabalho e recreio (igual o recreio na escola mesmo: momentos de descanso e lazer!).

Sua obra mais conhecida é o Museu de Arte Moderna do Rio de Janeiro. Carmen era a única mulher no canteiro de obras, entre mais de 450 operários, e comandou todas as decisões.

Nos anos 1960, participou da fundação da Escola Superior de Desenho Industrial, a primeira do tipo na América Latina, da qual foi diretora por vinte anos.

"Nada mais nos restava a fazer senão abandonar todos os padrões antigos de traçados de cidades [...] e procurar a solução do nosso problema na aplicação de estudos feitos para a cidade dos tempos modernos."

Sobre a questão de dar mais dinamismo aos centros urbanos.

Carmen Velasco Portinho nasceu em Corumbá (MS) em 26 de janeiro de 1903. Foi a terceira mulher a se graduar em engenharia no Brasil (na Escola Politécnica da Universidade do Brasil, atual UFRJ) e a primeira a receber o título de urbanista. Criou o Departamento de Habitação Popular na prefeitura do Rio de Janeiro, do qual foi diretora.

Foi grande amiga de Bertha Lutz, ao lado de quem se envolveu nas causas feministas e organizou o movimento sufragista no Brasil. Uma das fundadoras da Federação Brasileira pelo Progresso Feminino, Carmen lutou ativamente pela educação e pela independência das mulheres e pela igualdade de direitos entre homens e mulheres até o fim de sua vida. Faleceu em julho de 2001.

Quando Carmen trabalhava na prefeitura do Rio de Janeiro, seu chefe mandou vistoriar o para-raios do prédio para provocá-la, achando que ter que subir no telhado a impediria de executar a tarefa. Ela, porém, tinha TREINAMENTO EM ALPINISMO, já havia escalado todos os morros do Rio de Janeiro e fez o trabalho sem nenhuma dificuldade.

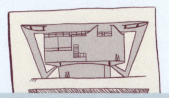

Quando perguntada em uma entrevista sobre a razão de ter escolhido engenharia como profissão, algo feito apenas por homens na época, Carmen disse que a escolha fora por motivos práticos. Ela dizia que desejava a independência financeira e, naquele tempo, todos os que se formavam em engenharia arranjavam trabalho.

41

NISE DA SILVEIRA

(1905–1999)

» UMA REVOLUÇÃO NA PSIQUIATRIA

A psiquiatra Nise da Silveira foi a responsável pela humanização do tratamento de pacientes com doenças mentais, retomando o trabalho começado por Juliano Moreira (que também está neste livro) e seguindo um caminho totalmente contrário ao padrão da época, que incluía eletrochoques, camisas de força, indução de coma e cirurgias no cérebro, como se os pacientes não se importassem com isso.

Nise se recusava a acreditar que tais tratamentos eram o melhor que se podia oferecer e enxergou na terapia ocupacional uma oportunidade de dar meios para os pacientes se expressarem e mostrarem o que se passava em seus inconscientes. À época, a "sessão" de terapia ocupacional da maioria dos manicômios consistia em obrigar os pacientes a executar atividades de limpeza. Nise mudou tudo quando montou ateliês no Hospital Pedro II, no Rio de Janeiro: quem não conseguia se comunicar com palavras podia se expressar em trabalhos manuais diversos, como pintura, costura, artesanato e marcenaria.

As pinturas, em particular, chamaram a atenção do mundo pela forma como retratavam a mente perturbada dos pacientes e ganharam duas exposições internacionais. Desde 1952, estão no Museu das Imagens do Inconsciente. Graças a Nise, grandes pintores, como Fernando Diniz e Emygdio de Barros, foram descobertos!

Essa psiquiatra inquieta foi ainda a pioneira na introdução dos animais como "coterapeutas" na psicoterapia. Nise enxergou o valor que o afeto proporcionado por cães e gatos poderia ter em seus pacientes, ajudando-os a fazer uma ponte com o mundo real.

Reconhecida mundialmente por ter revolucionado o tratamento mental, foi ela também quem introduziu no Brasil a psicologia de CARL JUNG e criou os externatos de tratamento, que deram origem aos hospitais-dia: os pacientes passavam o dia no hospital e voltavam para suas casas à noite, auxiliando na reconciliação dos doentes com suas famílias.

Nise Magalhães da Silveira nasceu em Maceió (AL) em 15 de fevereiro de 1905. Mesmo com pavor de ver sangue, ela decidiu estudar medicina. Foi uma das primeiras mulheres a se tornar médica no Brasil e a primeira a cursar medicina na Faculdade de Medicina da Bahia, única de sua turma de 157 alunos, em 1926.

Em 1981, Nise recebeu a Medalha de Mérito Oswaldo Cruz, um "reconhecimento [...] pelos resultados benéficos à saúde de milhares de brasileiros". Graças a seu ativismo pela humanização do tratamento psiquiátrico, foi aprovada em 2001 a Lei Antimanicomial, que traz regras de proteção e define os direitos das pessoas com transtorno mental.

Faleceu em outubro de 1999.

Durante o Estado Novo, a ditadura de Getúlio Vargas (1937–1946), Nise era filiada ao Partido Comunista Brasileiro e foi denunciada por uma enfermeira do hospital em que trabalhava por possuir livros de Karl Marx. FOI PRESA E, NA CADEIA, CONHECEU O ESCRITOR GRACILIANO RAMOS (1892–1953), que a citou no livro *Memórias do cárcere*.

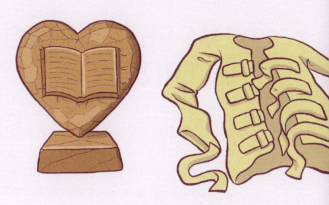

Nise afirmava que seu primeiro contato com o conhecimento prático da psicologia aconteceu quando lia Machado de Assis, que tinha lugar garantido na biblioteca de seu pai. Já o conhecimento sobre o ser humano veio de suas leituras das obras de Karl Marx.

Carl Jung foi um psiquiatra suíço que fundou a psicologia analítica, que busca analisar o indivíduo. Ele propunha um tratamento humanizado dos pacientes.

"[...] um paciente me mostrou que eu estava no caminho certo quando [...] me ofereceu um coração em madeira e no centro [...] um livro aberto. [... Ele] me disse: 'um livro é muito importante, a ciência é muito importante, mas se se desprender do coração não vale nada'."

Em entrevista a Luís Gonzaga Pereira Leal, em 1992 (publicada na revista *Psicologia: Ciência e Profissão*).

43

JOAQUIM DA COSTA RIBEIRO
(1906–1960)

» UM FENÔMENO ELETRIZANTE

Joaquim da Costa Ribeiro foi um dos mais importantes físicos experimentais brasileiros, especialista em física da matéria condensada, o que não tem nada a ver com aulas do colégio concentradas! Trata-se do estudo das propriedades físicas de uma substância.

Na época em que Joaquim desenvolveu seus estudos, a pesquisa em física no Brasil focava as áreas nuclear e de partículas (que aparecem em outras partes deste livro), mas Joaquim se interessou em estudar materiais isolantes elétricos, ou seja, que não conduzem eletricidade, também chamados de dielétricos, como a cera de carnaúba, uma palmeira típica do nordeste do Brasil.

Estudando a cera derretida e depois solidificada naturalmente, Joaquim percebeu que o material tinha uma carga elétrica mesmo não tendo sido aplicada nenhuma corrente elétrica sobre ele e mesmo sem a influência de um campo elétrico externo. Repetindo esse experimento com outros materiais, ele comprovou que é possível eletrificá-los apenas mudando seu estado físico e que esse efeito tinha diferentes intensidades de acordo com as velocidades de resfriamento e de solidificação usadas. Construiu então uma aparelhagem engenhosa para observar a velocidade de solidificação e a intensidade da corrente elétrica detectada, comprovando a correlação dessas grandezas e descobrindo, assim, o fenômeno que batizou de efeito termodielétrico. A descoberta atraiu para o Brasil o interesse da comunidade internacional dessa área da física.

Além de suas contribuições científicas, Joaquim desempenhou papéis importantes na criação do Centro Brasileiro de Pesquisas Físicas em 1949 e foi um dos fundadores do CNPq em 1951, fundação de apoio à pesquisa brasileira importante até os dias atuais. Inclusive, você pode começar a fazer ciência desde o ensino médio, e o CNPq é uma das instituições que estimula isso, com a bolsa de iniciação científica.

Joaquim da Costa Ribeiro nasceu no Rio de Janeiro (RJ) em 8 de julho de 1906. Graduou-se em engenharia civil e mecânica-eletricista em 1928 pela Escola Nacional de Engenharia e se tornou docente da recém-fundada Universidade do Brasil (atual UFRJ). Em 1944, publicou, nos Anais da ABC, sua descoberta sobre o "efeito termodielétrico", que teve grande repercussão, conferindo fama a Joaquim no Brasil e no exterior. Dois anos depois, ele se tornou professor catedrático de física geral e experimental da Faculdade Nacional de Filosofia. Em 1953, recebeu o Prêmio Einstein da ABC, que o elegeu membro. Em sua homenagem, a Sociedade Brasileira de Física instituiu um prêmio com seu nome. Faleceu em julho de 1960.

"É simples, eu separo completamente. Quando estou na religião, estou na religião; quando estou na ciência, estou na ciência."

Resposta dada quando questionado por alunos sobre como conciliar religião e ciência.

Sete anos depois da descoberta de Joaquim, os estadunidenses Everly Workman e Steve Reynolds PUBLICARAM UM ARTIGO DESCREVENDO O MESMO FENÔMENO. Até hoje, a eletrificação de materiais isolantes na mudança de fase aparece em artigos com o nome de "efeito Workman-Reynolds" — mas agora você sabe que o certo é "efeito Costa Ribeiro".

Joaquim era um grande apoiador da autonomia das pesquisas dentro das universidades. Sempre dizia que era importante apoiar todo tipo de pesquisa, inclusive a básica, que não visa à geração imediata de tecnologia. Lutou para tornar a pesquisa mais articulada com o cenário internacional e desvinculada de interesses políticos.

45

JOSÉ REIS
(1907–2002)

» O PAI DA DIVULGAÇÃO CIENTÍFICA

Antigamente, o conhecimento científico ficava preso nas universidades, inacessível à população. No Brasil, isso só começou a mudar na década de 1930, em boa parte devido ao trabalho do médico e cientista José Reis. Considerado um dos maiores especialistas do mundo em doenças de aves domésticas, como o frango de granja, ele tinha grande capacidade comunicativa e usou essa capacidade para ensinar aos produtores rurais, muitos dos quais nunca haviam frequentado uma escola, como combater as doenças aviárias. José entendia a importância da educação para uma sociedade mais justa e equilibrada e considerava os jornais de grande circulação importantes aliados para espalhar o conhecimento. Por causa disso, deu início a uma carreira paralela como jornalista e escritor.

Iniciou suas atividades como divulgador científico na antiga revista *Chácaras e Quintaes*, que trazia artigos sobre assuntos do campo em linguagem simples. Em 1947, passou a escrever uma coluna de divulgação científica no jornal *Folha de S.Paulo*, trabalho que manteve por 55 anos. Escrevia sobre ciência também para crianças e elaborava roteiros para rádios e teatros. Muitos cientistas viam com maus olhos essas ações de divulgação científica e sua presença constante em revistas e jornais populares, acreditando que ciência e tecnologia não eram assuntos para a mídia, mas José não se intimidava, remava contra seus colegas, em favor da sociedade. Os inimigos piram com esse cientista-divulgador!

Em 1948, fundou com outros cientistas a SBPC, que ajudou a estimular um sentimento de responsabilidade social em divulgar ciência. Como resultado da criação da SBPC, foi lançada a revista *Ciência e Cultura*, da qual José foi fundador e editor-chefe. A importância da divulgação científica até hoje é tema de debate nas universidades, e muitas das questões levantadas por José ainda na década de 1930 permanecem atuais.

José Reis nasceu no Rio de Janeiro (RJ) em 12 de junho de 1907. Graduou-se em medicina na Faculdade Nacional de Medicina, mas percebeu que queria era ser cientista e mudou-se para São Paulo para ser bacteriologista no Instituto Biológico. Suas pesquisas sobre doenças aviárias lhe deram notoriedade internacional: foi convidado a ser pesquisador na Fundação Rockefeller, em Nova York, onde ficou por cerca de um ano. De volta ao Brasil, passou a traduzir livros da área com uma linguagem mais popular. Ganhou o Prêmio John R. Reitemeyer (1964) e foi o primeiro brasileiro a receber o Prêmio Kalinga, da Unesco (1975), por seu trabalho de divulgação científica. Faleceu em maio de 2002.

"É grande o prazer de tentar compreender o que é difícil e depois transformá-lo em algo menos hermético [...]. Suponho até que a alegria do divulgador é maior que a do mestre, que ensina em classes formais. O divulgador exerce um magistério sem classes."

Depoimento escrito para a revista Ciência e Cultura, em 1982, pensamento infelizmente não compartilhado pelos seus colegas cientistas da época.

Em reconhecimento à importância de seu trabalho, O CNPQ CRIOU EM 1978 UM PRÊMIO NACIONAL QUE LEVA O SEU NOME, o Prêmio José Reis de Divulgação Científica, concedido a pessoas e instituições que contribuem significativamente para a divulgação científica no Brasil.

José gostava muito de ajudar no desenvolvimento do pensamento científico nos jovens. Ele criou campanhas para viajar pelo Brasil para acompanhar ou implantar feiras de ciências. Essas aventuras pelo país o fizeram ganhar o apelido de "caixeiro-viajante" da ciência.

JOSÉ RIBEIRO DO VALLE
(1908–2000)

» A COMUNICAÇÃO DOS HORMÔNIOS

Se você está lendo este livro na ordem, a esta altura já percebeu que alguns cientistas fizeram tantas contribuições importantes que é difícil definir uma só. José Ribeiro do Valle é um deles. Passou a maior parte de sua carreira científica na endocrinologia, a área da medicina que estuda os hormônios e suas funções no corpo. Hormônios são moléculas que fazem a comunicação entre as células, "dizendo" o que elas devem fazer. É como se fossem o WhatsApp das células. Quando José começou a trabalhar com isso, no início dos anos 1930, essa área ainda engatinhava. Ele foi um dos responsáveis por descobrir e desenvolver muito do que conhecemos hoje.

Uma de suas pesquisas mais importantes e curiosas foi sobre o "leite do papo" de pombos. Quando estão chocando seus ovos, tanto o pombo macho quanto a fêmea produzem no papo uma substância que lembra muito o leite que mamíferas produzem. Quando os pombinhos nascem, pombo-pai e pombo-mãe vomitam essa substância na boca deles para alimentá-los. José descobriu que esse "leite" era produzido através da ação de um hormônio chamado prolactina, o mesmo que faz as mulheres produzirem leite quando têm bebês. E foi com essa pesquisa inusitada que José descobriu que poderíamos usar pombos para estudar o processo de formação do leite nas mulheres. A prolactina seria tema de muitos de seus trabalhos.

José ainda estudou a interferência dos hormônios no comportamento dos cachorros ao fazer xixi, estudou hormônios sexuais em cobras e também se aventurou pela farmacobotânica, área da ciência que estuda as propriedades medicinais das plantas.

Era um professor muito querido por seus alunos e fazia de tudo para despertar o interesse deles pela ciência, inclusive levando-os a excursões de pesquisa, onde às vezes dormiam em delegacias de polícia por falta de um dormitório. Teve importante atuação no desenvolvimento da ciência brasileira, ajudando a fundar a SBPC.

José Ribeiro do Valle nasceu em Guaxupé (MG) em 15 de agosto de 1908. Formou-se médico em 1932 pela Faculdade de Medicina de São Paulo, hoje incorporada à USP. Ainda na década de 1930, começou a dar aulas na recém-fundada EPM sob a tutela de Thales Martins, renomado fisiologista do Instituto Oswaldo Cruz; ele seria pesquisador e professor da EPM até o fim de sua carreira. Também deu aulas no Instituto Butantan.

Publicou mais de 200 artigos e dez livros. Membro da ABC, recebeu a comenda de Oficial da Ordem do Rio Branco e o Prêmio Astra de Medicina e Saúde Pública (1976) e a Grã-Cruz da Ordem Nacional do Mérito Científico (1994). Faleceu em dezembro de 2000.

Quando José precisou fazer uma ponte de safena (um tipo de cirurgia no coração), o cirurgião foi um ex-aluno dele. Segundo contava, em tom divertido, o aluno "aprendeu a medir pressão arterial de rato comigo e acabou me operando. AINDA BEM QUE MEUS ALUNOS GOSTAVAM DE MIM".

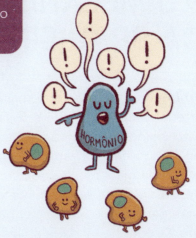

"Fui contagiado pelas pessoas que faziam pesquisa científica. A vida era difícil, ganhava-se pouco, mas valeu a pena."

Em entrevista à revista Ciência Hoje, em 1988, sobre sua escolha de carreira.

Para José, o espírito de aventura e a curiosidade eram essenciais na ciência, e um jovem cientista deveria ter sede de conhecimento e impulso interior. Vendo que a geração mais nova tinha muito amor à segurança e às coisas prontas, ele buscava sempre despertar o espírito aventureiro em seus alunos para que fossem cientistas mais sagazes e se divertissem no processo.

MAURÍCIO ROCHA E SILVA

(1910–1983)

» O MECANISMO DA BRADICININA

Embora tenha passado a maior parte de sua carreira científica estudando a pressão arterial, Maurício Rocha e Silva teve um início inusitado: ao ser contratado no Instituto Biológico, recebeu a missão de descobrir o que causava a morte de bois e vacas no estado de São Paulo. Maurício percebeu que os animais morriam depois de comer uma planta tóxica que crescia nos pastos, o alecrim-de-campinas. Essa pesquisa deu início a um estudo maior sobre plantas tóxicas para o gado, que até hoje serve de base para a toxicologia veterinária. Por seu trabalho, Maurício ganhou a bolsa de estudos Guggenheim, dada a cientistas que "demonstram excepcional capacidade para produtividade", para estagiar na Universidade de Chicago, onde iniciou seus estudos sobre pressão arterial em animais.

Em 1949, Maurício observou que veneno de jararaca misturado a sangue de cachorro causava a dilatação de vasos sanguíneos de cobaias (um tipo de roedor). Nossos vasos sanguíneos são como mangueiras e, quanto menor o diâmetro deles, maior a pressão. É como colocar o dedo na ponta da mangueira: você diminui o diâmetro da mangueira, e, com isso, a água sai mais forte. Já quando você aumenta o diâmetro dos vasos, a pressão sanguínea diminui. Maurício e seus colegas concluíram que o sangue liberava uma substância na presença do veneno, à qual deram o nome de bradicinina. Essa descoberta foi tão revolucionária que mesmo no Brasil não foi aceita imediatamente pela comunidade científica, sendo absorvida somente após cerca de dez anos. Apesar disso, foi a base para um novo tratamento contra a pressão alta (tem mais sobre isso no perfil do Sérgio Ferreira).

Na década de 1940, durante reuniões no Instituto Biológico, Maurício liderou o movimento para a criação da Sociedade Brasileira para o Progresso da Ciência, junto com Paulo Sawaya, José Reis e Gastão Rosenfeld, além de diversos cientistas de outras instituições de ensino e pesquisa.

Maurício Oscar da Rocha e Silva nasceu no Rio de Janeiro (RJ) em 19 de setembro de 1910. Filho de um psiquiatra, Maurício seguiu os passos do pai e graduou-se em medicina em 1933 pela Universidade do Brasil (atual UFRJ). Em 1940, foi um dos primeiros brasileiros contemplados com a prestigiada bolsa de estudos Guggenheim, que o levou à Universidade de Chicago e, depois, a trabalhar por dois anos em Nova York (Estados Unidos). Em 1947, foi contratado pelo Instituto Biológico e mudou-se para São Paulo.

Recebeu o Prêmio Moinho Santista e o Prêmio Nacional de Ciência e Tecnologia. Foi membro fundador da SBPC e professor da Faculdade de Medicina de Ribeirão Preto, onde formou diversos cientistas.

Faleceu em dezembro de 1983.

Seu filho Maurício da Rocha e Silva TAMBÉM SE TORNOU MÉDICO e lecionou na USP, seguindo uma carreira na mesma linha de pesquisa do pai. Em uma entrevista, conta que seu pai INCENTIVAVA A FAMÍLIA TODA A TRABALHAR NA CIÊNCIA e dizia que fora da ciência não havia salvação.

"Depois de ler Goethe, optei pela ciência experimental."

Brincava ao contar sobre estar dividido entre a medicina e virar escritor, carreira à qual começou a se dedicar durante o curso de medicina.

Maurício defendia que um cientista jamais pode abrir mão da intuição. Certa vez, fazendo uso dela, disse ao fisiologista Haity Moussatché, no Rio de Janeiro, pouco depois de descobrir a bradicinina: "Um dia, Haity, a bradicinina será vendida em ampolas". Maurício queria dizer que sua descoberta viraria um medicamento, e sua intuição estava absolutamente correta.

PAULUS POMPEIA
(1911–1993)

» O DECOLAR DA NOSSA AERONÁUTICA

Engenheiro eletricista, físico e grande educador, Paulus Pompeia começou sua carreira como líder de uma pesquisa que mediu os raios cósmicos — partículas cheias de energia que caem a todo o tempo na Terra — em grandes altitudes. Parece algo incrível, né? E é mesmo, mas era só o começo para o cientista!

Depois de um período nos Estados Unidos, Paulus voltou e trabalhou com o Exército brasileiro para criar um instrumento que pudesse medir a velocidade inicial de projéteis e para desenvolver rádios portáteis para os veículos militares. Na Marinha, ajudou na proteção dos navios, que não conseguiam detectar embarcações inimigas e, para não navegar às cegas, ficavam parados, impedindo o transporte de mercadorias e alimentos como açúcar e trigo para várias regiões do país. Paulus estava colaborando na construção de um sonar ultrassônico, mas sua fabricação exigia aço inoxidável, que não era produzido no Brasil até então — por causa desse projeto, as indústrias começaram a atender a essa demanda.

Além da pesquisa, a educação era uma das paixões de Paulus. No ITA, ele montou o Departamento de Física e Química, adquirindo equipamentos e estruturando todo o quadro docente. Ele defendia que os cursos básicos de matemática, física e química deveriam preparar o estudante para as matérias mais especializadas. Isso pode parecer óbvio para nós hoje, mas na época o pensamento da maioria dos professores era algo como "os alunos que lutem para entender". Preocupado com o preparo dos que se candidatavam ao ITA e, ao mesmo tempo, não querendo baixar o nível do instituto com o ingresso de alunos menos preparados, Paulus criou o "ano prévio", projeto de aulas básicas para preparar os estudantes para a prova. Muitos excelentes engenheiros formados pelo ITA passaram por esse programa, o que foi decisivo para a criação da Embraer, empresa brasileira de construção de aviões, hoje uma das maiores do mundo.

Paulus Aulus Pompeia nasceu em Sorocaba (SP) em 1º de outubro de 1911. Graças ao pai engenheiro eletricista, Paulus cursou engenharia elétrica na Escola Politécnica da USP. Quando terminou o curso, em 1935, já emendou a graduação em física na antiga FFCL, na mesma universidade, onde se formou em 1939.

Trabalhou na Universidade de Chicago com o ganhador do Prêmio Nobel de Física Arthur Compton de 1939 a 1942. Em 1948, recebeu o convite do Ministério da Aeronáutica para compor a comissão que ajudou a criar o ITA, onde lecionou até 1966. De 1966 a 1970, foi professor de física geral e aplicada da FAU-USP. Em 1970, tornou-se superintendente do IPT. Faleceu em fevereiro de 1993.

"Decidi ir para São José dos Campos porque queria mostrar que é possível no Brasil a gente ter uma Escola de Engenharia onde professores e alunos trabalhassem em regime de tempo integral."

Frase dita em entrevista de 1977, referindo-se ao seu empenho na criação do ITA.

No ITA, Paulus costumava escrever no quadro antes de começar sua aula:

ENGENHARIA = FÍSICA + BOM SENSO

Ele parou com isso depois que um aluno irreverente chegou antes e escreveu:

FÍSICA = ENGENHARIA – BOM SENSO

Paulus achava que os professores deviam se dedicar integralmente aos alunos e recebia estudantes em seu escritório até altas horas. Dizia que era essencial investir na capacitação de pesquisadores, já que são eles os principais responsáveis pelas inovações e pelo desenvolvimento do país.

GRAZIELA BARROSO

(1912–2003)

» CLASSIFICAR A FLORA BRASILEIRA

Graziela Barroso foi responsável por começar um processo chamado "sistemática vegetal" ou "taxonomia de planta", na época inédito no Brasil. Ela descreveu e catalogou plantas das cinco regiões do país, o que a tornou conhecida como a maior catalogadora da flora brasileira.

Pode parecer uma bobagem pegar um monte de plantinha e descrever a forma das folhas, flores e frutos, né? Mas conseguir identificar e classificar corretamente as espécies vegetais ajuda os cientistas a entender melhor os ecossistemas do nosso país e abre caminho para o uso das plantas na medicina, por exemplo.

Graziela começou sua carreira como estagiária no Jardim Botânico do Rio de Janeiro ao lado do marido, o agrônomo Liberato Barroso. No estágio, atuou como herborizadora, colhendo e guardando as plantas existentes ali para estudos. Alguns anos depois, prestou um concurso para trabalhar como botânica, ou seja, especialista em plantas, no mesmo lugar — passou em segundo lugar, sendo a única mulher entre os cinco candidatos. Dois anos depois, seu marido faleceu, e Graziela assumiu sua função de receber e ensinar estagiários. Foi aí que começou a outra grande parte da sua carreira: o ensino.

Foi professora na UFRJ, na UFPE e na Unicamp. Em 1966, tornou-se a primeira professora de botânica da UnB. Toda uma geração de botânicos foi formada por Graziela direta ou indiretamente, através de seus livros. Uma de suas ex-alunas, Angela Studart da Fonseca Vaz, contou que havia filas de espera para fazer os cursos da professora.

Em sua homenagem, a Secretaria do Meio Ambiente do Mato Grosso do Sul, seu estado de origem, concede, desde 2014, o Prêmio Marco Verde Doutora Graziela Maciel Barroso a pessoas que se dedicam à proteção e à recuperação do meio ambiente.

"Para qualquer área da botânica, o fator principal é amor, é gostar do que se faz. [...]. Acho que em qualquer profissão, a primeira coisa é amor [...] só isso dá realmente sucesso nos estudos. É se dedicar o dia inteiro."

Em entrevista à revista Ciência Hoje, em 1997.

Graziela Maciel Barroso nasceu em 11 de abril de 1912 em Corumbá (MS). Aos 30 anos, começou a trabalhar no Jardim Botânico do Rio de Janeiro, sendo a primeira mulher naturalista lá; aos 47, entrou no curso de biologia da Universidade do Estado da Guanabara (atual Uerj) e, aos 60, defendeu sua tese de doutorado. Carinhosamente chamada de "dona Grazi", ficou conhecida como a primeira-dama da botânica brasileira.

Única brasileira a receber a medalha Millenium Botany Award, dada a cientistas botânicos dedicados à formação de outros botânicos, ela escreveu dois livros usados como referência nos cursos da área e teve mais de 20 espécies de plantas batizadas em sua homenagem. Faleceu em maio de 2003.

Aos 85 anos, Graziela desfilou no Carnaval do Rio de Janeiro pela Unidos da Tijuca, que compôs o samba-enredo "Viagem pelos cinco continentes num jardim" em homenagem ao Jardim Botânico. No desfile, MUITAS DAS FANTASIAS FORAM INSPIRADAS EM PLANTAS DESCOBERTAS POR ELA.

Graziela dizia que a parte mais importante do seu trabalho era ter formado outros botânicos, especialmente quando nem havia ainda curso para isso no Brasil. Ver seus antigos alunos ganhando destaque internacional e se tornando "melhores que ela" era um dos seus grandes prazeres.

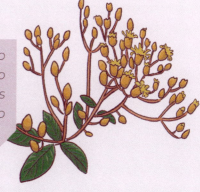

55

EURYCLIDES DE JESUS ZERBINI
(1912–1993)

» O MESTRE MUNDIAL DOS CORAÇÕES

Até a década de 1940, fazer cirurgias no coração era um tabu. Havia muitos riscos, então o tratamento para pacientes cardíacos era feito com repouso e sangrias — e, claro, a maioria acabava falecendo.

Até que, em 1942, um menino de 7 anos se acidentou na oficina do seu pai, no Brasil, e uma lasca de metal entrou direto no seu coração. O médico que o atendeu abriu o tórax sem receio e conseguiu conter a hemorragia: era Euryclides de Jesus Zerbini, cardiologista, cirurgião, pesquisador e um pioneiro em cirurgias de coração. Na época, ele era um dos poucos no Brasil a praticar a chamada escola norte-americana de cirurgia, que buscava técnicas práticas, baseadas em pesquisas (yeah, ciência!). A outra corrente, a europeia, preconizava mais as habilidades quase artesanais das mãos do cirurgião.

Apenas cinco meses após o primeiro transplante de coração do mundo, na África do Sul, Euryclides realizou o primeiro transplante da América Latina, em 1968, usando uma técnica diferente: em vez de resfriar o coração, ele o irrigou com uma máquina, o que melhorou a preservação do órgão. Essa técnica ganhou notoriedade internacional e resultou na liberação de recursos para a fundação, em 1975, do InCor, dedicado ao diagnóstico, ao tratamento e a pesquisas de doenças cardiovasculares, tornando o Brasil um dos mais avançados centros de cirurgia cardíaca do mundo. Mas havia ainda outro dificultador para as cirurgias na época: para manter o sangue circulando fora do corpo, precisava-se de máquinas que demoravam para chegar ao Brasil e eram de difícil manutenção. Euryclides, então, criou a Oficina do Coração-Pulmão Artificial, a fim de produzir e consertar seus próprios equipamentos com materiais nacionais. Isso deu origem à Divisão de Bioengenharia do InCor, que funcionou tão bem que a tecnologia produzida aqui começou a ser exportada — e é assim até hoje!

Euryclides de Jesus Zerbini nasceu em Guaratinguetá (SP) no dia 10 de maio de 1912. Com 18 anos, foi aprovado na FMUSP, formando-se em cirurgia geral em 1935, com apenas 23 anos. No ano seguinte foi nomeado professor da faculdade e, aos 29 anos, tornou-se livre-docente e membro titular da Sociedade de Medicina e Cirurgia de São Paulo, hoje Academia de Medicina de São Paulo. Em 1960, ele criou as "Caravanas Zerbini", que percorriam países da América do Sul levando equipamentos e conhecimento para cidades sem preparo. Em 58 anos de carreira, realizou, junto com sua equipe, 40 mil cirurgias e recebeu inúmeras homenagens em vários países. Faleceu em outubro de 1993.

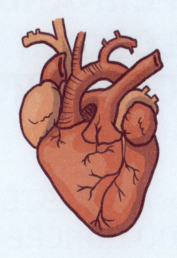

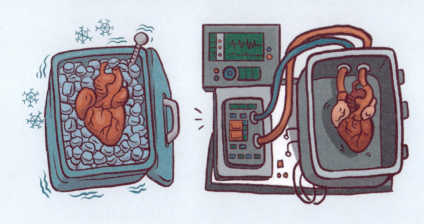

"Operar é divertido, é uma arte, é ciência e faz bem aos outros."

Frase repetida diversas vezes pelo cirurgião. Não sabemos se é mesmo divertido, mas podemos concordar que faz bem, principalmente ao paciente.

No início do curso de medicina, Euryclides odiava as matérias. Para se animar, decidiu acompanhar uma operação — mas PASSOU MAL E PENSOU EM ABANDONAR O CURSO. Isso mudou no ano seguinte, com a Revolução Constitucionalista, que o fez atuar no campo de batalha e se acostumar ao ambiente cirúrgico, pegando gosto por salvar vidas.

Euryclides chegou ao final do colégio dizendo que não tinha vocação para nenhuma profissão. Pediu ajuda a seu pai e conta que teria aceitado qualquer sugestão de carreira. Para nossa sorte, seu pai coçou a cabeça, pensou alguns segundos e sugeriu a medicina.

FERNANDO LOBO CARNEIRO
(1913–2001)

» A RESISTÊNCIA DO CONCRETO

Fernando Lobo Carneiro criou um método inovador e barato para calcular a resistência do concreto à tração, usado hoje no mundo todo. Parece complicado? Imagine um rolo: quando ele está em pé e colocamos algo pesado em cima, testamos a resistência à compressão. Se ele está deitado, testamos a resistência à tração. A resistência à compressão é sempre maior que a resistência à tração, e dá até para você testar isso em casa, com um rolo de papel higiênico e usando o seu próprio peso. O que é mais fácil: amassá-lo quando ele está em pé ou deitado?

O novo método surgiu a partir de uma tarefa inusitada: mudar uma igreja inteira de lugar para não ser demolida. Esse processo já havia sido feito colocando cilindros de aço sob a estrutura e deslizando-a sobre eles. Mas estávamos em 1947, durante a Segunda Guerra Mundial, quando o aço era bem escasso.

Foi aí que alguém teve a ideia de fazer cilindros de concreto, mas a resistência deles deitados (posição em que estariam) nunca tinha sido testada, apenas em pé (posição em que normalmente são usados em construções). E se não aguentassem e a igreja caísse?

Fernando então fez vários testes em uma máquina que aplicava bastante peso sobre os cilindros, estudando como eles rachavam. Assim, calculou quanto peso cada um aguentaria.

No Brasil, ninguém deu muita importância na época, mas o método logo foi usado pela França e pelos Estados Unidos. Em 1980, a ISO adotou o chamado Teste Brasileiro como padrão internacional.

Além de suas contribuições à engenharia civil, Fernando foi fundamental na criação da Lei do Petróleo, que levou à fundação da Petrobras em 1954. Ele se candidatou a suplente de deputado federal para criar a lei, que garantiria o monopólio do país na exploração, produção, refino e transporte do petróleo no Brasil.

(Apesar de todo o esforço, a igreja foi demolida: a estrutura era muito irregular e poderia desmoronar.)

Fernando Luiz Lobo Barboza Carneiro nasceu no Rio de Janeiro (RJ) em 28 de janeiro de 1913. Em 1934, formou-se em engenharia civil pela Escola Politécnica da Universidade do Brasil — atual Escola de Engenharia da UFRJ. Iniciou a carreira no INT, onde criou o método que o tornaria famoso e o primeiro programa de pós-graduação em engenharia civil do Brasil (na UFRJ).

Recebeu o Prêmio Interamericano de Ciência Bernardo Houssay por um ensaio que apontava as contribuições de Galileu Galilei nos estudos de resistência de materiais, até então desconhecidas pela comunidade científica — colocando-o como fundador dessa ciência.

Faleceu em novembro de 2001.

"Considero esse artigo o que fiz de mais importante. Foi a partir dele que me interessei pela história da ciência. Estudando história da ciência, verifiquei que tinha errado de vocação: devia ter escolhido física, em vez de engenharia."

Em entrevista, comentando o ensaio que escreveu sobre as contribuições de Galileu ao estudo da resistência de materiais.

Na comissão de metrologia do INT, Fernando e sua equipe precisavam usar o metro-padrão, objeto que servia de referência para o "valor" de 1 metro. SÓ QUE O METRO-PADRÃO SUMIU. Ninguém conseguia achar. Muito tempo depois, encontraram o objeto dentro de uma caixa sendo usada como CALÇO PARA UMA MESA NA CASA DA MOEDA (RJ).

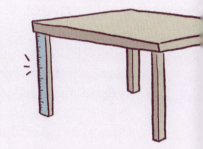

Durante sua carreira como professor, Fernando dizia que fazia questão de falar da parte histórica da ciência para despertar o interesse dos alunos e fazê-los valorizar o conhecimento.

MARCELO DAMY
(1914–2009)

» LEVANDO O BRASIL À ERA NUCLEAR

Pioneiro nas pesquisas de física experimental no Brasil, Marcelo Damy era tão engenhoso que aprendeu a abrir e consertar rádios ainda adolescente!

Já adulto, ele pesquisou os raios cósmicos, partículas de alta energia que vêm do espaço e trazem informações que ajudam a entender a origem e a composição do universo.

Na primeira metade do século XX, quando os cientistas aperfeiçoavam máquinas para detectar essas partículas, Marcelo desenvolveu um aparelho capaz de captar a radiação cósmica de forma 10 mil vezes mais sensível que os disponíveis até então. A engenhoca proporcionou a descoberta dos "chuveiros penetrantes", um fenômeno que acontece quando os raios cósmicos chegam com bastante energia à atmosfera da Terra e produzem múltiplas partículas — parece um chuveiro mesmo. Foi uma das descobertas mais importantes da época, e hoje todos os grandes detectores de partículas utilizados em experimentos a altas energias precisam ter detectores de chuveiros penetrantes para que os resultados sejam confiáveis.

Interessado em pesquisas sobre energia nuclear, isto é, a energia liberada em uma reação no núcleo dos átomos, Marcelo recebeu a missão de desenvolver o primeiro reator nuclear brasileiro, levando o Brasil a ingressar na era nuclear. Pesquisas nessa área são importantes pois ajudam a desenvolver novas formas de produzir energia limpa, novos remédios, novos diagnósticos para doenças… Além disso, com elas chegamos mais perto de desvendar mistérios do universo.

Marcelo também foi responsável pela construção do primeiro sonar brasileiro, usado pela Marinha durante a Segunda Guerra Mundial para localizar submarinos inimigos. Mais tarde, com a ajuda de Gleb Wataghin, seu professor, montou na USP o primeiro acelerador de partículas da América Latina, o Betatron. Esse aparelho produz raios X e gama, que, entre dezenas de utilidades, podem ajudar no tratamento contra o câncer.

Marcelo Damy de Sousa Santos nasceu em Campinas (SP) em 14 de junho de 1914. Aos 17 anos, mudou-se para São Paulo e se preparou para ingressar na Escola Politécnica da USP, fazendo parte da primeira turma de física. Em 1938, foi estudar na Universidade de Cambridge, na Inglaterra. Ingressou na ABC em 1942. Marcelo criou o IEA, hoje Ipen, e foi presidente da CNEN. A partir de 1968, começou a trabalhar para a criação do Instituto de Física da Universidade Estadual de Campinas, do qual foi o primeiro diretor. Em 1971, foi lecionar na PUC de São Paulo e na pós-graduação do Ipen. Faleceu em novembro de 2009.

"O professor que pesquisa, ao ensinar um assunto do seu ramo de conhecimento, transmite sua experiência pessoal, ele faz mais do que repetir um livro, ele transmite ao aluno seu modo de ver aquele assunto."

Em entrevista à revista Pesquisa Fapesp, *criticando o ensino puramente teórico.*

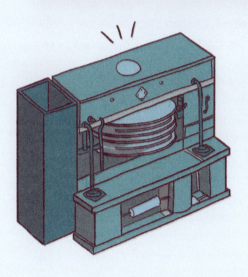

Um professor de Marcelo, Gleb Wataghin (que também está neste livro), disse que ele tinha jeito para a física, mas Marcelo já estudava engenharia elétrica e queria se formar logo. Gleb propôs que ele FIZESSE TODOS OS EXAMES DO CURSO EM APENAS DOIS MESES. Ele passou e foi trabalhar com o professor.

Marcelo considerava o ensino de ciência uma atividade intimamente ligada à pesquisa. Sempre dizia que um bom professor é um pesquisador que gosta de contar as coisas que faz e que não conhecia nenhum bom professor que não tivesse sido também um pesquisador.

MÁRIO SCHENBERG
(1914–1990)

» O PROCESSO URCA

Mário Schenberg (ou Schönberg, como ele assinava seus artigos) tinha formação e atuação em várias áreas, incluindo engenharia, química e física, mas foi na astrofísica que ele se destacou. Seu principal trabalho foi no estudo de supernovas, um nome legal para o que acontece com as estrelas depois que elas "morrem". Quando isso acontece, elas não simplesmente somem: elas explodem numa grande bola brilhante de várias cores. Demais, né?

Mário estudou como esse processo ocorria e qual a influência dos neutrinos (falamos um pouco mais sobre eles no perfil de José Leite Lopes) na formação da supernova. Para entender, imagine que as estrelas são como um ovo, que é o núcleo, dentro de uma bexiga inflável. Os núcleos das estrelas soltam neutrinos a todo momento, como uma maneira de liberar energia, feito uma válvula de escape. Conforme isso acontece, é como se a bexiga fosse se esvaziando, até chegar um momento em que gruda no ovo. O que se imagina, então, é que não é possível a bexiga encolher mais, certo? No entanto, Mário descobriu que os neutrinos conseguem continuar expulsando energia do núcleo, como se fossem enfraquecendo a casca do ovo. Até que, em certo momento, o ovo (no caso, o núcleo) é quebrado, gerando uma supernova, uma explosão de energia e luz. Mário nomeou essa descoberta de processo Urca.

Ainda estudando estrelas, Mário trabalhou em conjunto com o indiano Subrahmanyan Chandrasekhar. Juntos, descobriram o limite de peso que o núcleo de uma estrela feita de hélio pode ter antes de explodir — de 10% a 15% da massa total. Isso ficou conhecido como limite de Schönberg-Chandrasekhar, em homenagem aos dois. Os trabalhos posteriores de Chandrasekhar sobre estrelas lhe renderam o Nobel de Física em 1983 — e mais um "quase" para o Brasil!

Mário Schenberg nasceu em Recife (PE) em 2 de julho de 1914. Entrou na Faculdade de Engenharia do Recife em 1931 e, no terceiro ano, transferiu-se para a USP, onde se formou em engenharia elétrica em 1935 e física em 1936. Trabalhou em Roma, Zurique e Paris com vários ganhadores do Nobel.

Em 1940, foi trabalhar na Universidade de Washington com George Gamow, com quem desenvolveu a teoria do processo Urca. Ainda lá, trabalhou com Chandrasekhar no Observatório Yerkers. De volta ao Brasil em 1944, foi professor da USP até 1969, quando foi afastado pela ditadura. Em sua carreira política, foi deputado estadual por São Paulo, aprovando a lei que deu origem à Fapesp. Faleceu em novembro de 1990.

"Tudo o que é novo aparece aos olhos antigos como coisa errada. É sempre nessa violação do que é considerado certo que nasce o novo e há criação."

Trecho do livro Voar também é com os homens: o pensamento de Mário Schenberg.

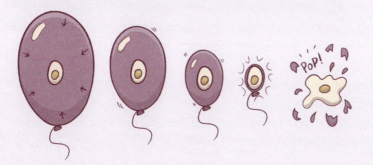

O nome dado ao processo descoberto por Mário, Urca, veio de um cassino no Rio de Janeiro: "A ENERGIA DESAPARECE NO NÚCLEO DE UMA SUPERNOVA TÃO RÁPIDO QUANTO O DINHEIRO DESAPARECE NO CASSINO", explicou. Os astrofísicos, sem conhecer a história, logo arranjaram uma definição hipotética: sigla de Ultra Rapid Catastrophe, ou catástrofe ultrarrápida.

Mário Schenberg era um grande apreciador da arte e afirmava que o cientista deve se aproximar da atitude ousada e criativa do artista, por ser a arte um território livre. Dessa forma, acreditava, a história da ciência consegue desenvolver perspectivas e saídas múltiplas.

ARISTIDES LEÃO
(1914–1993)

» UM NOVO FENÔMENO NO CÉREBRO

A descoberta do neurofisiologista Aristides ajudou a entender e diagnosticar várias doenças, como a epilepsia e a enxaqueca. Em 1944, trabalhando em sua tese de doutorado pela Universidade Harvard, nos Estados Unidos, ele percebeu uma reação inesperada no córtex cerebral. Ao estudar cérebros de coelhos, viu, por repetidas vezes, uma onda de hiperatividade seguida por uma grande redução da atividade dos neurônios, que perdem temporariamente a capacidade de se comunicar uns com os outros.

Difícil, né? Imagine que seu cérebro é uma sala e seus neurônios, milhares de luzinhas. Para cada coisa que você faz, como ler este livro, parte das luzes se acende e outra se apaga. Aí, de repente, tudo se acende ao mesmo tempo! É tanta energia de uma vez que dá um curto-circuito e todas as luzes se apagam. Depois de descansarem, elas voltam ao normal.

O fenômeno foi batizado por Aristides de "depressão alastrante", mas ficou conhecido como "onda de Leão". Para George Somjen, um renomado neurofisiologista, é um exemplo de como um cientista atento pode abrir uma área importante de pesquisa.

Ainda não se sabe exatamente tudo o que envolve a onda de Leão, mas hoje sabemos que ela está por trás de algumas dores de cabeça e pode ter causas naturais, como falta de oxigênio.

De volta ao Brasil, Aristides descobriu que a onda não acontece apenas no cérebro, mas também em outras estruturas neurais, como a retina dos olhos. O artigo em que descreveu seus achados é um dos mais citados do mundo na área!

Considerado o mais célebre neurocientista do Brasil, ele foi presidente da ABC entre 1967 e 1981, durante a ditadura militar, protegendo cientistas perseguidos pelo regime por meio da amizade que criou com os militares. Também trabalhou no Instituto de Biofísica Carlos Chagas Filho e na Faculdade Nacional de Medicina da Universidade do Brasil (hoje UFRJ).

No Rio de Janeiro, em 3 de agosto de 1914, nascia Aristides Azevedo Pacheco Leão. Ele nunca conheceu o pai, que faleceu antes de seu nascimento. Foi criado pela mãe, com a figura paterna exercida por seu tio, Antônio Pacheco Leão, biólogo e diretor do Jardim Botânico do Rio de Janeiro, que o estimulou a seguir carreira na área biológica.

Por sua atuação, recebeu vários prêmios, incluindo o Einstein em 1961, o Álvaro Alberto em 1973 e o Moinho Santista em 1974. Leão ganhou também o prêmio de personalidade global, das Organizações Globo, em 1977. Recebeu o título de presidente emérito da ABC, e a biblioteca da instituição foi batizada com seu nome. Faleceu em dezembro de 1993.

Aristides passava seu tempo livre estudando outros temas da biologia, PRINCIPALMENTE PÁSSAROS, QUE TINHA O COSTUME DE OBSERVAR AO AMANHECER. Ele incentivou o alemão Helmut Sick a escrever o livro *Ornitologia brasileira* e redigiu a introdução da obra. Amava tanto os livros que tinha mais de 3 mil exemplares em sua biblioteca!

"Nós notamos certa dificuldade no desenvolvimento científico no Brasil, pois esta é uma atividade não apenas nacional: depende do intercâmbio entre países e da importação de informações, materiais, equipamentos."

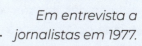

Em entrevista a jornalistas em 1977.

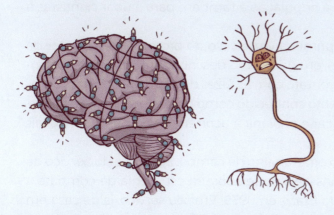

À época dos experimentos mais importantes de sua carreira, Aristides trabalhava com instrumentos recém-inventados e ainda pouco sensíveis. As primeiras medições que fez no aparelho causaram desconfiança em outros cientistas, mas ele tinha certeza de que o que via não era um erro, e sim um fenômeno relevante. Sua persistência e seu rigor científico mudaram a neurociência.

LEÔNIDAS DEANE E MARIA DEANE

(1914–1993; 1916–1995)

» COMO COMBATER EPIDEMIAS

Os parasitologistas Leônidas e Maria Deane revolucionaram a maneira como o Brasil enxerga e lida com epidemias. O casal trabalhou em conjunto, viajando pelo Norte e pelo Nordeste do país para falar sobre saneamento básico e epidemias.

Você sabia que essas duas coisas — falta de higiene e epidemia — estão relacionadas? Pois é... Água parada, esgoto a céu aberto e falta de acesso à água tratada (limpa) atraem diversos causadores de doenças, como vermes, bactérias e até alguns mosquitos, como o da dengue. Nas décadas de 1930 e 1940, muita gente não sabia disso, e essa dupla de cientistas contribuiu para educar a população e também para ajudar cientistas a entender diversas doenças.

Maria, por exemplo, descreveu pela primeira vez o ciclo do protozoário causador da doença de Chagas, o *Trypanosoma cruzi*, em gambás, e descobriu que os humanos podem contrair a doença se entrarem em contato com as fezes do animal. Até então, achava-se que o único transmissor era um inseto conhecido como barbeiro. Com a descoberta de Maria, finalmente foi possível explicar e prevenir a ocorrência da doença em locais onde não há o barbeiro.

Leônidas, por sua vez, era muito ativo em trabalho de campo. Fez parte do Serviço de Malária do Nordeste e foi um dos responsáveis por elaborar a estratégia de combate à maior epidemia de malária da história do Brasil, em 1939. Em seu serviço, ia de casa em casa coletando sangue das pessoas e analisando os casos da doença na época, junto com Adolfo Lutz (que também está no livro!).

A área científica em que o casal mais se aventurou foi a da leishmaniose visceral, uma doença causada por protozoários que pode fazer os órgãos internos incharem, causando a morte. Leônidas e Maria desbravaram o Norte do país e, graças a eles, pudemos tomar medidas sanitárias para prevenção dessa doença em várias regiões do Brasil — um impacto positivo enorme na saúde pública brasileira!

Leônidas Deane e Maria José von Paumgartten Deane nasceram em Belém (PA); ele em 18 de março de 1914, e ela em 24 de julho de 1916. Ambos formaram-se em medicina pela Faculdade de Medicina e Cirurgia do Pará (hoje parte da UFPA), Leônidas em 1935 e Maria em 1937. Lecionaram nas faculdades de medicina da UFPA e da USP. Exilados durante a ditadura militar em 1973, primeiro em Portugal e depois na Venezuela, sempre trabalharam na área da saúde! De volta ao Brasil, em 1980, trabalharam no Instituto Oswaldo Cruz.

O casal ajudou a fundar vários institutos importantes, como o Instituto Evandro Chagas e o Serviço de Malária do Nordeste. Leônidas e Maria faleceram em 1993 e 1995, respectivamente.

A motivação pessoal de Maria sempre foi a formação dos profissionais de saúde. Um bom exemplo disso é Marcos Lima, ex-motorista do casal. Percebendo a curiosidade de Marcos pela pesquisa, **ELA O LEVOU AO LABORATÓRIO PARA CAPACITÁ-LO E O INCENTIVOU A FAZER CURSOS DE FORMAÇÃO.** Atualmente, ele é técnico de laboratório da Fiocruz.

"Mas esse tipo de trabalho deve ser muito mais interessante do que o que eu faço!"

Leônidas, quando seu pai questionou por que abriria mão da oportunidade de abrir um laboratório para fazer trabalho de campo.

Leônidas era apaixonado por sua pesquisa, inclusive o estudo de mosquitos. Quando perguntado por um repórter se ele não se cansava de estudar esses insetos e queria só matá-los, ele garantiu que não e que queria sempre saber mais sobre eles.

67

VERIDIANA VICTORIA ROSSETTI

(1917–2010)

» SALVANDO NOSSOS POMARES

O Brasil hoje é o maior exportador mundial de suco de laranja, e isso graças ao trabalho excepcional da engenheira-agrônoma Victoria Rossetti, autoridade mundial na área de fitopatologia (pesquisas sobre doenças que atacam plantas). Sim, você leu certo, planta também fica doente, o que é um problemão para o agronegócio, pois reduz a produtividade e a qualidade das frutas.

A especialidade de Victoria eram as frutas cítricas e, em 1940, no Instituto Biológico (SP), ela identificou e isolou o fungo causador da gomose dos citros, que apodrece a planta. Em 1947, houve um surto de "tristeza dos citros", considerada uma das piores viroses para cítricos, que estava causando grande impacto econômico no Brasil e no mundo. Aqui, estima-se que dizimou cerca de 10 milhões de plantas, levando a perdas de pomares inteiros e ameaçando a produção. Victoria logo se dedicou a desenvolver um porta-enxerto resistente à doença. A técnica deu certo e foi um dos fatores responsáveis por erradicar a doença!

Na sua carreira, ela trabalhou com quase todas as doenças de laranjeiras, como a clorose zonada, a clorose variegada dos citros, a leprose dos citros, o cancro cítrico e o declínio dos citros. Como a gente não ouve falar delas, pode parecer que essas doenças não eram nada de mais, mas Victoria dedicou sua carreira a identificar seus agentes causadores (que incluem ácaros, bactérias, vírus e fungos), ajudando a controlá-las e a garantir nossa produção de laranjas e de outras frutas. Em 1961, a convite do Instituto Nacional de Pesquisa Agronômica da França, ela criou um programa internacional de colaboração científica para estudos sobre vírus dos citros. É reconhecida como uma das maiores pesquisadoras na sua área de atuação e ajudou a colocar a ciência brasileira em evidência mundial.

Veridiana Victoria Rossetti nasceu em Santa Cruz das Palmeiras (SP) em 15 de outubro de 1917. Ainda criança, ajudava o pai a coletar material para estudar pragas em plantas, até crescer e se formar na Esalq — foi a primeira mulher a concluir um curso de agronomia no estado. Fez sua carreira no Instituto Biológico de São Paulo, mas se aperfeiçoou nas universidades da Carolina do Norte e da Califórnia (Estados Unidos).

Membro da ABC, recebeu a Medalha Sigma XI da Universidade da Califórnia (1952), o Prêmio Frederico de Menezes Veiga da Embrapa (1993), o Prêmio Wallace Award da Organização Internacional de Virologistas de Citrus (1995) e a Grã-Cruz da Ordem Nacional do Mérito Científico (2004).

Faleceu em dezembro de 2010.

Em 1987, Victoria foi chamada para identificar a causa de uma nova doença dos citros, conhecida como "amarelinho". Ela CRIOU UM EQUIPAMENTO QUE COMPROVOU SUA HIPÓTESE de que as plantas estavam com suas "veias" entupidas e então foi à França identificar a bactéria causadora da doença, que rebatizou de Clorose Variegada dos Citros.

"Depois disso, ninguém mais viu o vírus, até que, trabalhando nesse novo projeto, conseguimos e estamos conseguindo vê-lo no microscópio eletrônico."

Entrevista de 1996 à Revista Pesquisa Fapesp, após ganhar seu 51º prêmio nacional pelo melhor artigo científico sobre citricultura.

Victoria sempre usava a primeira pessoa do plural para falar das suas pesquisas, porque fazia questão de compartilhar o mérito dos avanços encontrados com os outros pesquisadores dos projetos. Como ela mesma disse modestamente: "O Instituto Agronômico de Campinas concedeu o prêmio em meu nome porque sou a pesquisadora mais velha".

MARIA LAURA MOUZINHO LEITE LOPES
(1917/1919–2013)

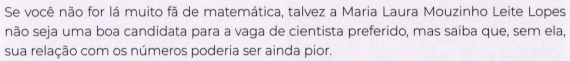

» NOVA FORMA DE ENSINAR MATEMÁTICA

Se você não for lá muito fã de matemática, talvez a Maria Laura Mouzinho Leite Lopes não seja uma boa candidata para a vaga de cientista preferido, mas saiba que, sem ela, sua relação com os números poderia ser ainda pior.

Com o objetivo de entender a qualidade do ensino da matemática no Brasil, Maria Laura conduziu uma ampla e inédita pesquisa que identificou falhas no aprendizado dos estudantes e suas principais dificuldades. E o que ela propôs para resolver isso? Pedir que os alunos estudassem mais? Aumentar a quantidade de aulas? Nada disso! A solução, segundo a pesquisa, estava em investir na formação e na capacitação continuada dos *professores* (em outras palavras, oferecer a eles cursos e oportunidades de aprendizado para que seus alunos tivessem um aproveitamento melhor das aulas).

Essa ideia não era nova. Na França, durante o exílio forçado pela ditadura militar, Maria Laura já havia participado de um programa de aprimoramento de professores enquanto trabalhava no Irem (da sigla em francês para Instituto de Pesquisa em Ensino de Matemática).

Quando pôde voltar ao Brasil, ela criou, junto a outros professores, o Grupo de Ensino e Pesquisa em Educação Matemática (Gepem), onde colocou em prática seus novos conhecimentos e organizou o primeiro seminário sobre o assunto do país. Foi desse seminário que nasceu a pesquisa citada acima.

Em 1980, o Gepem criou o curso que viria a se tornar o mestrado em educação matemática da Universidade Santa Úrsula, o segundo do Brasil. Em 1983, veio outro projeto de formação de professores, o Projeto Fundão, da UFRJ, que existe até hoje e tem importância nacional e internacional.

Maria Laura dedicou a vida a promover o ensino e a aprendizagem da matemática em todos os níveis de escolaridade. Seu legado ainda contribui para a formação de gerações de professores. E, com professores mais bem preparados, melhor se saem os alunos!

Maria Laura Mouzinho Leite Lopes nasceu em Timbaúba (PE) em 18 de janeiro de 1919. Graduou-se em matemática em 1942, na antiga Faculdade Nacional de Filosofia, onde deu aulas (assim como no ITA e na Universidade de Chicago). Foi a primeira doutora* na área do Brasil (1949) e a primeira a se tornar membro titular da ABC. Participou da fundação do CNPq e do Impa, entre outros institutos. Faleceu em junho de 2013.

---

* Alguns dizem que a primeira doutora em matemática do Brasil foi a professora Elza Furtado Gomide. Entretanto, como o trabalho defendido por Maria Laura tem o primeiro registro aceito pelas comunidades científicas e acadêmicas, é a ela que cabe o título.

Maria Laura nasceu em 1919, mas sua certidão diz 1917. Quando ela se mudou de Recife para o Rio de Janeiro, com 16 anos, teve de prestar um exame para poder continuar os estudos. Mas, para isso, precisava ter 18 anos. Seu pai, então, FEZ UM NOVO REGISTRO COM O ANO DE 1917, QUE PASSOU A SER SUA DATA DE NASCIMENTO OFICIAL.

"Antes de ser matemático, é preciso ser um cidadão preocupado com problemas da sua época. Mais importante do que fazer pesquisa é poder formar alunos, é entender que a matemática é uma forma de pensar, de interpretar o mundo e resolver as situações."

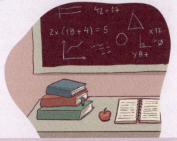

Fala publicada no livro VOX: arte, ciência e cultura no Brasil (IBICT, 2017).

Maria Laura considerava que, para avançar em ciência e tecnologia, o Brasil precisava ter uma base sólida e criativa de ensino de matemática e ciências, com professores bem preparados. Durante sua carreira, elaborou várias pesquisas sobre o ensino da matemática no país, tentando identificar as maiores deficiências tanto nas escolas quanto na formação dos professores.

JOSÉ LEITE LOPES
(1918–2006)

» O BÓSON Z É BRASILEIRO

José Leite Lopes foi especialista em duas coisas bem complicadas: teoria quântica de campos (que tenta explicar como partículas elétricas interagem entre si) e física de partículas (já diremos o que é). Suas contribuições científicas foram tão importantes que lhe renderam dois prêmios Nobel!

Para entender seu trabalho, precisamos saber o que são partículas. Pois bem: tudo o que vemos e tocamos é feito de átomos, que, por sua vez, são feitos de partículas menores: elétrons, prótons e nêutrons — os dois últimos, compostos de partículas ainda menores, os quarks. A física de partículas estuda aquilo que não tem mais divisões, ou seja, a menor unidade de partículas.

A pesquisa de José previu uma dessas partículas, o bóson Z, que, segundo sua teoria, a teoria eletrofraca, seria responsável pelo "decaimento beta", um tipo de radiação que pode ser emitido em reações nucleares. Nele, um dos nêutrons do núcleo é transformado num próton, lançando um elétron e um antineutrino (outra partícula) para fora do átomo em alta velocidade. De acordo com os estudos de José, essa transformação só seria possível devido a uma força nuclear fraca intermediada pelo bóson Z, que faria essas partículas interagirem. As teorias de José foram comprovadas por dois trabalhos vencedores do Nobel de Física: um em 1979, de dois americanos e um indiano que comprovaram a teoria eletrofraca, e outro em 1983, de um holandês e um italiano que comprovaram a existência do bóson Z. Mais uma trave pro Brasil!

Para ter uma dimensão da importância do trabalho de José, basta dizer que, sabendo como o decaimento beta funciona, é possível usá-lo, por exemplo, em tratamentos de tumores nos olhos e nos ossos, já que ele pode matar células cancerígenas (nesse caso, é preciso tomar cuidado para que não mate as células saudáveis em volta). Além disso, o decaimento beta é o princípio por trás do PET Scan, um tipo de tomografia que detecta câncer no corpo humano.

José Leite Lopes nasceu em Recife (PE) em 28 de outubro de 1918. Formou-se em química industrial na Escola de Engenharia de Pernambuco (hoje incorporada pela UFPE) em 1939, mas decidiu mudar de área e formou-se em física na Faculdade Nacional de Filosofia (atual UFRJ) em 1942. Obteve o doutorado na Universidade de Princeton em 1946, nos Estados Unidos.

Exilado durante a ditadura militar, virou professor da Universidade de Estrasburgo, na França. Com sua esposa, Maria Laura Leite Lopes, e César Lattes (que também estão neste livro), fundou o Centro Brasileiro de Pesquisas Físicas e ajudou a criar o CNPq. Foi o único físico brasileiro a ganhar o Unesco Science Prize. Faleceu em 2006.

José era, além de cientista, pintor. Ele dizia que pintava pois precisava fazer as mãos trabalharem junto com o cérebro. Fez diversos quadros a óleo, além de desenhos. Houve até uma pequena EXPOSIÇÃO COM SEUS QUADROS, organizada por amigos, no Rio de Janeiro.

"Há uma lição a ser aprendida na história da ciência, tecnologia e sociedade (...): a base de tudo é a educação, para criar não apenas pessoas qualificadas como também capazes de criar novos conhecimentos."

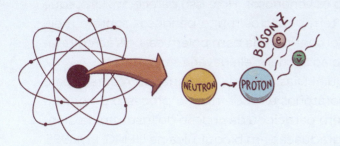

Declaração no livro Science and Empires, sobre ciência e impérios.

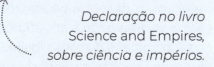

Como entusiasta da divulgação científica, José defendia ferrenhamente, até brigando com colegas, que pesquisadores deveriam se empenhar na educação básica, inclusive escrevendo livros para o ensino médio. Ele dizia que era obrigação de todo cientista gastar algumas horas do mês para dar palestras sobre o avanço da ciência brasileira em escolas de ensino fundamental e médio.

CARLOS RIBEIRO DINIZ
(1919–2002)

» PROTEGENDO ANIMAIS VENENOSOS

Formado em medicina, Carlos Ribeiro Diniz é ícone mundial nas pesquisas sobre toxinas de animais. Foi um dos primeiros cientistas a estudar o veneno de escorpiões, serpentes e aranhas, e seus estudos foram a base para o conhecimento sobre como esses venenos agem. E acredite: isso salvou várias vidas!

O trabalho de Carlos foi extremamente importante para que conseguíssemos produzir vacinas e soros contra os venenos. Não à toa, um estudo sobre a ação coagulante das toxinas de serpentes que publicou na respeitada revista internacional *Journal of Biological Chemistry* é até hoje uma referência para os que pesquisam na área. Durante um Congresso em Estocolmo, Carlos defendeu a ideia de que é importante preservarmos os animais ameaçados de extinção, incluindo os venenosos. Hoje isso parece óbvio, porque entendemos que a extinção de espécies tem impactos muito perigosos sobre o meio ambiente, mas, na época, a fala de Carlos foi considerada bem polêmica, pois acreditava-se que, se um animal apresentasse perigo ao homem, ele deveria ser extinto.

Quando foi diretor da Fundação Ezequiel Dias (Funed), ele angariou recursos para desenvolver pesquisa básica, reativar laboratórios e modernizar o processo de produção de vacinas e soros antiofídicos. Também participou da criação do Instituto de Ciências Biológicas e da consolidação da pós-graduação em bioquímica na UFMG. Em 1985, ajudou na criação da Fapemig, que até hoje possibilita o acesso à pesquisa científica de forma mais inclusiva e menos elitista. Por tornar a Funed reconhecida como grande centro de pesquisas científicas e formador de cientistas, existe hoje, em sua homenagem, o Prêmio de Incentivo à Pesquisa Carlos Ribeiro Diniz, que faz parte da Semana Nacional de Ciência e Tecnologia da Funed. O objetivo é discutir, divulgar e premiar as melhores pesquisas desenvolvidas por estudantes do ensino médio e superior, sob orientação de pesquisadores da instituição.

Carlos Ribeiro Diniz nasceu em Luminárias (MG) em 2 de fevereiro de 1919. Na infância, era conhecido como "doutorzinho", por seu perfil questionador e seu interesse em pesquisa e leitura. Em 1943, graduou-se em medicina pela UFMG e, formado, tornou-se professor assistente de química fisiológica na universidade. Destacou-se pela militância em prol do fortalecimento da ciência e tecnologia, atuando inclusive em Brasília, onde participava dos comitês da Capes e do CNPq, ajudando a criar políticas de incentivo à ciência brasileira. Quando presidiu o Conselho Curador da Fapemig, usou seu prestígio na comunidade científica para garantir o orçamento que sustenta a agência até hoje. Faleceu em julho de 2002.

Para manter suas pesquisas, durante um tempo CARLOS COLETOU ESCORPIÕES E OS MANTEVE EM CAIXAS NO JARDIM DE SUA CASA ATÉ CONSEGUIR LEVAR PARA O CRIADOURO NA UNIVERSIDADE. Imagine o susto da esposa dele no dia em que flagrou escorpiões fujões passeando pelos cômodos da casa (sem falar no perigo que correu)!

"No primeiro ano ginasial, havia uma disciplina chamada ciências físicas e naturais. Lembro-me muito bem de ter aprendido [...] muitos conhecimentos que levava para casa nas férias. Isso reforçava o interesse de meu pai por investir nos meus estudos."

Em entrevista concedida ao Instituto de Ciências Biológicas da UFMG.

Carlos sempre recebeu convites para participar de projetos industriais (ou seja, que pagavam bem!), mas recusava, afirmando que sua vocação era estar nas universidades trabalhando com ensino e pesquisa científica. Se Minas Gerais é hoje um polo científico-tecnológico no Brasil, isso se deve muito à criatividade e perseverança desse brilhante pesquisador.

CRODOWALDO PAVAN
(1919–2009)

» A QUANTIDADE DE DNA NAS CÉLULAS

Crodowaldo Pavan e sua equipe foram responsáveis por uma descoberta que mudaria completamente o estudo da genética no mundo: perceberam que o número de genes dentro de um cromossomo pode variar ao longo do desenvolvimento do organismo.

Cromossomos são pequenos pacotinhos de DNA divididos em estruturas chamadas genes, que contêm as informações necessárias para todo o funcionamento das células de qualquer ser vivo. É como se os cromossomos fossem livros de receita, cada gene fosse uma receita para uma coisa diferente, e nossas células grandes, cozinheiras que não conseguem fazer nada sem esses livros. Cada ser vivo tem, dentro de suas células, uma biblioteca com uma quantidade diferente de "livros": os humanos têm 46, enquanto as moscas-das-frutas, apenas oito!

Até Crodowaldo começar seus estudos, na primeira metade do século XX, o mundo todo achava que o número de receitas dentro dos livros nunca mudava, o que era chamado de Teoria da Constância do DNA. Isso era difícil de comprovar na época porque ainda não existiam ferramentas científicas para ver os genes dentro dos cromossomos. Crodowaldo resolveu esse problema ao descobrir que as larvas da espécie de mosca *Rhynchosciara* tinham cromossomos gigantes, bem fáceis de observar ao microscópio. Analisando esses cromossomos, Crodowaldo percebeu que o número de genes variava conforme as moscas e suas larvas se desenvolviam. Mais tarde, junto de sua equipe, viu que o mesmo fenômeno acontecia em humanos.

Graças a seu trabalho, cientistas do mundo todo da área de genética passaram a olhar para o Brasil com mais respeito, e Crodowaldo foi convidado a dar aulas na Universidade do Texas, nos Estados Unidos, onde trabalhou por dez anos. Além da brilhante carreira como cientista e professor, ele atuou intensamente pela educação e divulgação científica, sendo responsável pela criação da Estação Ciência, na USP, e dobrando a quantidade de bolsas de pesquisa no país quando foi presidente do CNPq.

Crodowaldo Pavan nasceu em Campinas (SP) em 1º de dezembro de 1919. Quando criança, pensava em ser engenheiro, influenciado pela fábrica de porcelanas do pai, mas, após assistir a um filme sobre o cientista francês Louis Pasteur, decidiu seguir outro caminho, graduando-se em história natural na então recém-fundada FFLCH. Era tão apaixonado por sua carreira que dizia ser pago para se divertir.

Recebeu vários prêmios, incluindo o Nacional de Genética (1963), o Alfred Jurzykowski, da Academia Nacional de Medicina (1986), e a Grã-Cruz da Ordem Nacional do Mérito Científico. Ao lado de Johanna Döbereiner, foi um dos poucos brasileiros a se tornar membro da Pontifícia Academia de Ciências, nomeado pelo papa. Faleceu em abril de 2009.

"Em 1955, eu publiquei um trabalho em que tentava demonstrar que, biologicamente, as mulheres eram superiores aos homens. Infelizmente, nessa época, as mulheres não acreditavam no que eu estava dizendo, e os homens achavam que eu era demagogo."

Fala durante a abertura do programa *Roda Viva*, em 1992.

Em uma viagem de campo para COLETAR MOSCAS EM PLANTAÇÕES DE BANANA, Crodowaldo chutou uma bananeira caída que estava no caminho. Embaixo dela, encontrou as larvas das moscas *Rhynchosciara*, que mudariam suas contribuições para a ciência. Chutar uma árvore caída e revolucionar o mundo científico não é pra qualquer um.

Durante toda a sua carreira científica, Crodowaldo esteve envolvido com o meio ambiente, desenvolvendo, inclusive, muitas pesquisas na Amazônia. Ele dizia, já em 1992, que as questões ambientais eram os maiores problemas da humanidade.

MARTA VANNUCCI
(1921–2021)

» A MESTRE DOS MARES E DOS MANGUES

Você já esteve em um manguezal? É um lugar bem lamacento, e não muito cheiroso, mas repleto de vida! Muitos animais usam o mangue: peixes, caranguejos, camarões, aves e — por que não? — seres humanos. Ele envolve uma cadeia alimentar tão grande que sua destruição afetaria não apenas as populações que o frequentam para se alimentar ou reproduzir, mas também mares e oceanos. E talvez, se não fosse por Marta Vannucci, isso já tivesse acontecido...

Tudo começou em 1946, quando o Instituto Paulista de Oceanografia foi fundado para estimular a pesca. Mas Marta, que atuava em zoologia, acreditava que ele deveria ir além e tornar-se um centro de pesquisa de ciências do mar, isto é, de oceanografia — área que envolve geologia, física, biologia, química e até engenharia. Graças aos seus esforços, em 1951, o IPO virou o Instituto Oceanográfico, incorporado à USP (IOUSP), hoje referência na América Latina.

E foi assim que a oceanografia nasceu no Brasil. Com ela, finalmente pesquisadores passaram a se debruçar sobre o estudo dos mangues e de como conservá-los — tarefa tão importante de nossa geração!

Marta foi a primeira mulher a se tornar membro titular da ABC e a dirigir o IOUSP, e, graças a ela, em 1964, foi construído o primeiro navio oceanográfico brasileiro, que ficou quarenta anos em operação e fez mais de 150 expedições pela costa do Brasil e pelos mares antárticos, ampliando nossos conhecimentos sobre o mar.

Em 1969, Martha foi obrigada a se afastar da universidade por conta da ditadura militar. Então, mudou-se para a Índia a convite da Unesco e chegou a trabalhar em 23 países, tornando-se autoridade mundial em manguezais, com mais de cem trabalhos científicos publicados! Em suas excursões, Marta coletou muitas espécies, contribuindo para a formação de coleções de plâncton em diversos países e, consequentemente, para novas pesquisas e descobertas na área.

Marta Vannucci nasceu em Florença, na Itália, em 10 de maio de 1921, mas veio para o Brasil ainda criança com sua família. Seu pai era médico e, por isso, ela teve contato com muitos cientistas e intelectuais brasileiros. Na USP, graduou-se em história natural e defendeu seu doutorado em zoologia.

Assim que se formou, foi convidada para ser professora assistente de zoologia no curso de história natural e, para assumir a posição, se naturalizou brasileira. Em 1956, Marta ganhou uma bolsa da Unesco para conduzir pesquisas na Escócia. Em 1966, tornou-se membro titular da ABC e recebeu a Grã-Cruz da Ordem Nacional do Mérito Científico por sua trajetória acadêmica.

De 1988 até sua morte, em 2021, Marta patrocinou, juntamente com o CNPq e a SBPC, um prêmio em memória do seu filho Érico Vannucci Mendes, com o objetivo de preservar a memória nacional. ÉRICO FOI PRESO NA ÉPOCA DA DITADURA E FALECEU EM 1986, aos 42 anos.

"Se meu pai tivesse vivido, eu provavelmente teria ido fazer medicina e trabalhado com ele. Quem realmente formou minha alma de cientista foi meu pai."

Em entrevista dada em 1993, lamentando o fato de seu pai ter falecido quando ela tinha apenas 16 anos.

Marta recebeu um telegrama da Unesco oferecendo dois cargos, um em Paris e outro na Índia. Aceitou o da Índia pois queria estar fora do mundo ocidental, e também porque o cargo de Paris era burocrático, e o da Índia, mais interessante. Segundo suas próprias palavras, *"minha residência permanente é o Brasil, mas minha residência de fato são uns vinte lugares diferentes"*.

WARWICK KERR
(1922–2018)

» AS MELHORES ABELHAS

Sabe aquele mel bonito e saboroso que tantos brasileiros têm na mesa? Ele não existiria se não fosse por Warwick Kerr! Warwick foi o responsável por introduzir a abelha africana no Brasil e desenvolver, através de melhoramento genético, uma espécie mais "mansa" e melhor produtora de mel, hoje amplamente usada pelos apicultores brasileiros.

Mas a criação dessa nova espécie, chamada "abelha africanizada", tem uma história curiosa e trágica por trás.

Em 1956, Warwick foi à Tanzânia e à África do Sul para aprender como se produzia mel por lá, pois as abelhas usadas no Brasil, vindas de Portugal, não se davam bem com o ambiente daqui. Quando voltou, trouxe as primeiras abelhas africanas, bem agressivas, e as deixou cercadas por uma tela junto com as abelhas europeias em uma floresta de eucalipto. A esperança era que as abelhas calminhas cruzassem com as agressivas e gerassem abelhas que fossem boas produtoras de mel, mas não atacassem as pessoas. Mas a tela foi removida acidentalmente, e as abelhas-rainhas africanas cruzaram com as abelhas europeias fora do ambiente controlado. O pior é que a hipótese de Warwick mostrou-se equivocada, e os "filhotes" desses cruzamentos descontrolados acabaram sendo superagressivos e picaram um monte de gente! Até hoje existem descendentes dessas abelhas por aí, mas, por sorte, elas acabaram se adaptando ao ambiente e perderam a agressividade. Ufa!

Esse infeliz acidente fez Warwick perceber que precisava entender melhor o comportamento dessas abelhas. A partir de suas observações, e muitos cruzamentos controlados depois, ele finalmente criou a abelha africanizada, tão boa produtora de mel quanto a africana e tão mansa quanto a europeia, além de ser resistente a uma praga que ataca colmeias, a varroa, dispensando o uso de agrotóxicos e produzindo mel orgânico.

Além de abelhas, Warwick pesquisava plantas polinizadas por abelhas. Buscando variedades de hortaliças mais vitaminadas, conseguiu desenvolver uma espécie de alface que tem vinte vezes mais vitamina A que a alface comum!

Warwick Estevam Kerr nasceu em Santana do Parnaíba (SP) em 9 de setembro de 1922. Graduou-se em engenharia agronômica pela Esalq, onde também fez doutorado e livre-docência. Foi professor na USP, Unesp, Uema e UFU e diretor do Inpa.

Foi o primeiro diretor científico da Fapesp, em 1962, e ajudou a montar fundações semelhantes em outros estados do país. Como presidente da SBPC durante a ditadura militar, adotou postura de oposição às atitudes tomadas pelo regime contra os cientistas, o que resultou em sua prisão, por duas vezes. É membro de várias academias de ciências, incluindo a ABC e a Academia dos Estados Unidos. Recebeu a Grã-Cruz do Mérito Científico. Faleceu em setembro de 2018.

"Desde os meus 9 anos que bolo ciência; fico olhando para as coisas e enxergando problemas na natureza ao meu redor. Isso me ajudou muito na vida."

Em entrevista ao projeto História da Ciência no Brasil em 1977.

Warwick era criticado por seus colegas por usar uma BICICLETA PARA IR AO TRABALHO e NÃO USAR GRAVATA NEM PALETÓ, como era o padrão da época. Recebia desaprovação ainda por INCLUIR O NOME DE SEUS ALUNOS NOS TRABALHOS QUE PUBLICAVA, dando merecido reconhecimento — o que o fazia muito popular entre os alunos, que queriam trabalhar com ele.

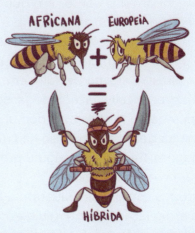

Warwick iniciou suas pesquisas para melhorar a produção de mel após conhecer povos indígenas do interior de Mato Grosso que produziam mel de abelhas sem ferrão e usavam o produto para suplementar a dieta da família — ele queria ajudá-los. Foi a partir de um pensamento humanitário que ele se tornou um dos maiores cientistas brasileiros.

CAROLINA MARTUSCELLI BORI

(1924–2004)

» PSICOLOGIA LEVADA A SÉRIO

No início da década de 1950, o campo de psicologia era pouco desenvolvido no Brasil. E Carolina foi uma das grandes responsáveis por mudar isso.

Ela era professora auxiliar de psicologia na USP, que na época era uma disciplina de alguns cursos específicos, como pedagogia e filosofia — não havia uma faculdade que formasse psicólogos, e muitos cientistas viam a psicologia com desconfiança, por ser uma atividade relativamente nova e com um embasamento científico fraco.

Esse foi um dos pontos em que Carolina fez a diferença. Por ser uma forte defensora do método científico, ela sempre foi adepta da psicologia experimental, baseada em experimentos controlados. Um de seus primeiros trabalhos publicados, por exemplo, foi sobre preconceito racial e regional. Em uma época em que se dizia que não havia racismo no Brasil, Carolina decidiu, em vez de simplesmente perguntar às pessoas se elas tinham preconceito, fazer indagações um pouco mais complexas: você trabalharia com uma pessoa do Nordeste? E do Sul? Casaria com uma pessoa negra? É difícil acreditar, mas muita gente que se dizia não racista respondia não a essas perguntas! Usando essa abordagem, Carolina conseguiu provar que, apesar do que muitos acreditavam, a sociedade era preconceituosa.

Estudos como esse ajudaram a afastar a desconfiança que a comunidade científica nutria em relação à psicologia e a consolidá-la como ciência no Brasil.

Todos os cursos de psicologia e de ciências do país foram influenciados por seu trabalho. Ela participou da criação do curso de psicologia na Universidade de Brasília e do curso de mestrado em educação especial na UFSCar. Na USP, foi responsável pela reforma do programa de pós-graduação de 1970, que foi um modelo para o resto do Brasil.

Ela achava a educação importantíssima e acreditava que a ciência deveria ser acessível a todos. Por isso, promoveu diversos programas de popularização da ciência pelo país.

Carolina Martuscelli Bori nasceu em São Paulo em 1924. Concluiu sua graduação em pedagogia pela USP em 1947, tendo alcançado o cargo de professora auxiliar em 1948. Concluiu o mestrado em 1952, em Nova York (Estados Unidos), e terminou seu doutorado em 1954, pela USP.

Foi uma das fundadoras da Sociedade Brasileira de Psicologia, tendo sido também presidente da Associação Nacional de Pesquisa e Pós-Graduação em Psicologia, além de vice-presidente da Sociedade Brasileira para o Progresso da Ciência e presidente da Sociedade de Psicologia de São Paulo e da Associação Brasileira de Psicologia.

"Enquanto a população não colocar esse problema em sua extensa pauta de reivindicações e não fizer pressão, os cientistas continuarão falando sozinhos."

Sobre convencer a população de que desenvolver a ciência e a tecnologia nacionais é um gênero de primeira necessidade. Jornal O Estado de S. Paulo, 1989.

No Conselho Regional de Psicologia, Carolina Bori TEM O REGISTRO Nº 01 (CRP 01), honra cedida a ela por ser a única mulher entre os fundadores do órgão.

Carolina ficou muito animada com a implantação da pós-graduação de todos os cursos da USP, declarando que era um ganho que não se via na pesquisa naquela época. Também achava que a graduação exigia demais dos professores, mas que achava gostoso, numa época difícil como a que viveu (da ditadura militar), ver algo novo florescendo.

CÉSAR LATTES
(1924–2005)

» MAIS PARTÍCULAS QUE IMAGINADO

César Lattes foi fundamental no desenvolvimento da ciência no Brasil. Começou sua carreira sendo orientado por Gleb Wataghin, que também está neste livro, e depois trabalhou no laboratório H. H. Wills, da Universidade de Bristol, Inglaterra, com o cientista Cecil Powel. Foi nessa época que fez a descoberta que mudaria sua vida e o estudo da física no mundo.

Ele encontrou uma nova partícula no núcleo do átomo, o méson pi (hoje conhecido como píon), partícula responsável por manter os prótons e nêutrons unidos no núcleo atômico, como uma cola. Até então, os cientistas se perguntavam como os prótons, todos carregados positivamente, ficavam juntos no núcleo de um átomo, já que a tendência natural era que se repelissem (por ter a mesma carga). Faça o teste com dois ímãs de geladeira: ponha um de frente para o outro, tentando encostá-los. Você verá que, de um dos lados, eles se atraem, mas, do outro, se repelem.

Em 1935, Hideki Yukawa, físico japonês, chegou a propor que haveria uma partícula como o píon, mas foi César quem comprovou sua existência.

Tudo começou com um experimento com placas fotográficas colocadas no topo de uma montanha na França. Elas deviam mostrar que raios cósmicos, as partículas vindas do espaço, geravam partículas menores ao entrar na atmosfera da Terra. Ao revelar as placas, César obteve as primeiras evidências da existência do méson pi.

Para confirmar os achados, ele acrescentou o elemento químico boro na composição das placas e as levou a um lugar ainda mais alto, o monte Chacaltaya, na Bolívia, onde os raios cósmicos são mais intensos. As novas placas revelaram grande quantidade do méson pi e foram a base do artigo científico publicado por Lattes, Occhialini e Powell para divulgar a descoberta — artigo que revolucionou a física e deu origem à física de partículas. Pelo achado, Powell, líder da equipe, recebeu o Prêmio Nobel de Física em 1950.

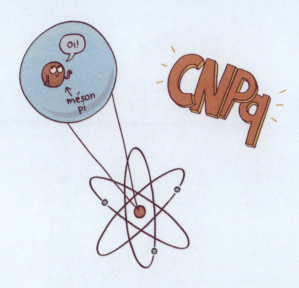

"Prefiro ajudar a construir a ciência no Brasil do que ganhar um Nobel."

Resposta de César quando questionado sobre uma carreira no exterior.

Cesare Mansueto Giulio Lattes nasceu em 11 de julho de 1924 em Curitiba (PR), filho de imigrantes italianos. Começou os estudos lá e continuou em São Paulo, formando-se em matemática e física pela USP aos 19 anos.

Embora não tenha sido incluído no Nobel, César recebeu várias premiações, incluindo o Prêmio Einstein (1950), o Prêmio Bernardo Houssay (1978) e o Prêmio da Academia de Ciência do Terceiro Mundo (1988).

Foi um grande líder científico e uma das principais personalidades por trás da criação do importante CNPq. O sistema de currículos científicos do Brasil foi nomeado em sua homenagem: Plataforma Lattes.

Quando trabalhava na Universidade de Bristol, em 1946, Lattes precisava pegar um avião para o Brasil. Optou por pegar uma aeronave brasileira em vez de uma britânica porque na brasileira serviam bife no jantar. ACABOU SENDO UMA SÁBIA DECISÃO: O AVIÃO BRITÂNICO CAIU EM DAKAR, VITIMANDO TODOS OS SEUS PASSAGEIROS.

Menos de um ano após descobrir o méson pi, César reproduziu a partícula artificialmente, agitando de novo o mundo da física. Ele detectou a produção artificial dos píons trabalhando com o cientista Eugene H. Gardner na Universidade da Califórnia em Berkeley (Estados Unidos). Dizia que a detecção artificial da partícula foi ainda mais emocionante do que a descoberta inicial!

AZIZ AB'SABER
(1924–2012)

» A ORIGEM DA NOSSA BIODIVERSIDADE

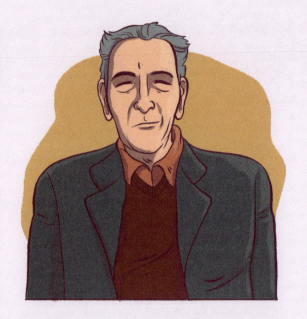

Aziz foi um cientista fundamental na geografia do Brasil, e, graças à sua Teoria dos Redutos, base da Teoria dos Refúgios do zoólogo e compositor Paulo Vanzolini, podemos explicar a grande biodiversidade brasileira.

Segundo as teorias, há milhares de anos, durante a última era do gelo, o clima seco e frio fez com que as florestas recuassem para as regiões mais úmidas do mundo, abrindo grandes espaços sem vegetação entre áreas isoladas de mata. Era como se alguém tivesse passado com um regador só em algumas partes da Terra, onde as plantas continuaram a crescer normalmente; nas outras, que não receberam água, elas não vingaram.

Agora imagine as florestas como um grande sofá onde todas as espécies de animais sentam juntinhas. A falta de água transformou o sofá em várias poltroninhas, bem separadas, cada uma só com uma parte dos animais.

Milhares de anos depois, uma nova mudança climática trouxe de volta um clima mais quente e úmido. Aí, adivinhe: as florestas reocuparam as áreas sem vegetação e as poltronas voltaram a se unir. Porém, tanto tempo tinha se passado que agora havia espécies novas, mais adaptadas às características de sua própria poltrona (o que está de acordo com a Teoria da Evolução de Charles Darwin).

Com sua pesquisa, Aziz criou o primeiro mapa de domínios morfoclimáticos do nosso país, que associam relevo, tipo de solo, clima, vegetação e distribuição e circulação de água em uma região. Seu trabalho revelou que o Brasil é composto de seis domínios: Amazônico, Mares de Morro, Cerrado, Caatinga, Pradaria e Mata das Araucárias; entre eles, há faixas de transição com características mistas dos domínios.

Aziz propôs então que se implantassem grandes reservas de biodiversidade no território e criou planos eficientes de recuperação ambiental, entendendo que cada área precisa de um tipo diferente de reflorestamento, de acordo com as suas características.

Aziz Nacib Ab'Saber nasceu em São Luiz do Paraitinga (SP) em 24 de outubro de 1924. Mesmo com uma infância difícil, foi incentivado a se dedicar aos estudos e entendeu que a educação era o caminho para mudar a situação da sua família. Aos 17 anos, ingressou na Faculdade de História e Geografia da USP, onde se especializou em geologia.

Um dos primeiros ambientalistas militantes do Brasil, Aziz recebeu vários prêmios, incluindo três Jabuti (literatura), o Prêmio Unesco para Ciência e Meio Ambiente e a medalha de Grão-Cruz em Ciências da Terra.

Publicou mais de 500 trabalhos durante sua carreira, incluindo artigos, livros e revistas. Faleceu em março de 2012.

Aziz entrou na faculdade para cursar história, mas, LOGO NO PRIMEIRO DIA DE AULA, UMA EXCURSÃO DE CAMPO MUDOU SUA VIDA. A experiência de ver o mundo através das lentes da geografia foi tão marcante que ele acabou mudando de ideia.

"Para que as ciências sejam úteis às sociedades, é preciso que estejam combinadas entre si. Não existe uma ciência aplicada. Existem ciências que, se combinadas, aplicam-se a descobertas novas."

Colocação feita em entrevista ao médico Drauzio Varella.

Aziz acreditava que a pesquisa era uma ferramenta da cultura para entender fatos sobre a vida e a sociedade. Ele dizia que as pessoas precisavam primeiro entender o que é cultura para, depois, entender o que é ciência, pois a pesquisa agrega conhecimento à cultura, alimenta a ciência e acelera os processos evolutivos das sociedades.

87

JOHANNA DÖBEREINER
(1924–2000)

» COMO PLANTAR SOJA SEM ADUBO

A descoberta de Johanna foi tão importante que, por causa dela, hoje o Brasil é o segundo maior produtor de soja do mundo!

Na maioria dos países, para plantar milho, soja e outros grãos, é necessário que a terra seja fortalecida com adubos químicos fabricados em laboratório, que podem ser bem caros. Sem eles, essas plantas não crescem saudáveis, o que dá bastante prejuízo aos produtores.

Graças a Johanna, não é o caso do Brasil!

Acontece que, enquanto o mundo todo apostava no desenvolvimento de novos adubos, Johanna pensava que tinha que existir outra maneira, mais ecológica e barata, de dar às plantas os nutrientes de que elas precisavam para crescer. Foi então que ela descobriu que o próprio solo já tem bactérias capazes de fazer o papel do adubo. Chamadas de "fixadoras de nitrogênio", essas bactérias vivem nas raízes de algumas plantas e conseguem fazer algo que nenhum outro ser vivo é capaz: pegar o nitrogênio direto do ar e usá-lo para fazer proteínas e DNA, por exemplo. As plantas não conseguem usar o nitrogênio do ar, mas conseguem usar as moléculas cheias de nitrogênio produzidas pelas bactérias. E adivinha: as bactérias são bem mais baratas do que os adubos químicos — e também mais sustentáveis para o meio ambiente!

O preço competitivo da soja brasileira no mercado internacional só foi possível com a descoberta de Johanna. Utilizando os micro-organismos, a economia com adubos nas plantações do Brasil está estimada em torno de 2 bilhões de dólares por ano.

Aliás, cultivar a cana-de-açúcar com as bactérias levou a uma produtividade nunca antes vista, o que abriu caminho para uma maior produção de etanol (que vem da cana-de-açúcar) e o estabelecimento do Proálcool, programa brasileiro criado para diminuir o consumo de petróleo — que é menos sustentável. Atualmente, o Brasil é o segundo maior produtor de etanol do mundo, tudo graças a Johanna!

Johanna Döbereiner nasceu em Aussig, na antiga Tchecoslováquia, em 28 de novembro de 1924. Formou-se em Agronomia na Universidade de Munique Ludwig-Maximilians em 1947 e mudou-se para o Brasil em 1950, naturalizando-se em 1956. Aqui, trabalhou no Centro Nacional de Pesquisa em Agrobiologia da Embrapa, em Seropédica (RJ), e foi membro da Comissão Nacional da Soja.

Em uma carreira brilhante, Johanna acumulou mais de 25 prêmios. Foi membro das Academias de Ciência do Brasil, de Nova York e até do Vaticano. Seu trabalho foi reconhecido pela Unesco e pela Organização dos Estados Americanos, além de Alemanha, Índia e México. Em 1997, foi indicada ao Prêmio Nobel de Química.

Faleceu em outubro de 2000.

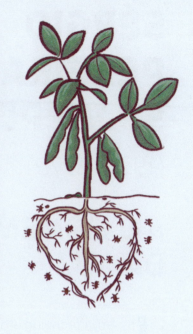

Quando chegou ao Brasil, Johanna pediu uma vaga para trabalhar na Embrapa, mas recebeu um belo "não" duas vezes. SÓ LHE DERAM O EMPREGO APÓS ELA IMPLORAR: "QUERO TRABALHAR, MESMO SEM GANHAR NADA". Duas bactérias do solo foram nomeadas em sua homenagem: *Gluconacetobacter johannae* e *Azospirillum doebereinerae*.

"Não tem nada de mais na vida de um cientista. É rotina como outra qualquer. Só que meu escritório é um laboratório. Sou uma camponesa do laboratório."

Resposta comum de Johanna sobre o cotidiano da vida de pesquisadora.

Apesar de seu grande prestígio nacional e mundial, a maior satisfação de Johanna era ver a contribuição de sua pesquisa na adoção de práticas mais sustentáveis na agricultura, e não os prêmios que recebia. Ela fazia questão de dizer que não fazia nada sozinha e que tudo era fruto de muita troca entre ela e sua equipe de cientistas.

SÉRGIO PEREIRA DA SILVA PORTO

(1926–1979)

» O HOMEM DA LUZ

Laser é uma tecnologia hipnotizante. Prova disso são os gatos, que caçam os feixes de luz como se fossem presas. É divertido!

Mas Sérgio Porto descobriu usos bem mais interessantes para ele.

Dos cientistas deste livro, ele é um dos poucos que desenvolveu a carreira científica em uma empresa, em vez de uma universidade. Foi professor do ITA até 1959, quando se apaixonou por lasers ao ler um artigo dos estadunidenses Arthur Schawlow e Charles Townes, da empresa Bell Labs. Em 1960, embarcou para os Estados Unidos, onde deu suas maiores contribuições para a ciência.

Uma delas foi na chamada Espectroscopia Raman (ER), técnica que identifica a composição de materiais jogando neles uma fonte de luz e analisando como ela se espalha. É como se, para sabermos a composição de um bolo, colocássemos uma lâmpada perto e pudéssemos ver na parede a sombra do ovo, da farinha, da cenoura... (Hum, amamos uma analogia com bolo!) Naquela época, a técnica era limitada, pois as fontes de luz usadas jogavam fótons (as partículas de luz) para todo lado, e a imagem da composição do material saía embaçada. Aí, Sérgio deu a ideia de usar um laser, um feixe único de luz, e a imagem pôde ser vista com clareza. Essa decisão revolucionou a área, a análise tornou-se muito mais precisa e versátil, podendo ser usada para quase qualquer material. A notação que descreve as direções das luzes numa ER, não à toa, chama-se Notação de Porto.

Os avanços de Sérgio são um belo exemplo de como dividir o conhecimento em "medicina", "física", "química" etc. é mera formalidade, pois a ciência não tem divisões. Embora fosse químico, ele contribuiu para a medicina ao estudar a aplicação de laser em tecidos humanos e ser pioneiro no uso de laser para cirurgias de olhos e para transplante de tímpano, procedimento para o qual desenvolveu fibras ópticas próprias; foi responsável ainda pela criação da cirurgia de desobstrução de artérias usando raios laser.

Sérgio Pereira da Silva Porto nasceu em Niterói (RJ) em 19 de janeiro de 1926. Filho de pescadores, formou-se em química na UFRJ em 1947 e obteve o doutorado em 1954, pela Universidade Johns Hopkins, nos Estados Unidos. De volta ao Brasil, foi professor do ITA de 1954 a 1960, quando aceitou o convite para trabalhar para o Bell Labs, com Arthur Schawlow (Nobel de Física de 1964) e Charles Townes (Nobel de Física de 1981). Em 1967, tornou-se professor da Universidade do Sul da Califórnia (USF), onde permaneceu até 1970, quando retornou para seu país e assumiu o posto de professor titular da Unicamp. Faleceu em 1979.

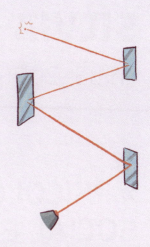

"Bom, vamos dar uma olhada primeiro. Primeiro eu quero ver se realmente vale a pena voltar para o Brasil para uma aventura."

Sobre voltar para o Brasil para ser professor da recém-fundada Unicamp, em 1969.

Sérgio foi um grande fã de futebol até o último dia de sua vida. Em 1979, durante um congresso na antiga União Soviética (URSS), ele organizou uma partida entre os cientistas, divididos entre os da URSS × resto do mundo. Infelizmente, SÉRGIO TEVE UM ATAQUE CARDÍACO NO MEIO DA PARTIDA E FALECEU LOGO EM SEGUIDA.

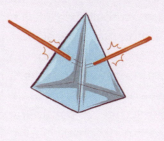

Mesmo no exterior, Sérgio prezava pelas colaborações brasileiras e pelo crescimento da pesquisa aqui. Ajudou e orientou a construção dos primeiros lasers do país, na década de 1960. Sabendo o que era necessário para desenvolver sua pesquisa, foi exigente para sua volta ao Brasil, reivindicando acesso a trinta doutores, um edifício e 2 milhões de dólares. A Unicamp atendeu.

SILVIA LANE
(1933–2006)

» PSICOLOGIA SOCIAL E COMUNITÁRIA

Silvia Lane mudou a história da psicologia. Formada em filosofia, foi professora de psicologia social, uma área que faz ponte entre a psicologia e a sociologia e estuda, entre outras coisas, como aspectos culturais de um povo influenciam comportamentos, como tais comportamentos diferem quando a pessoa está sozinha ou em grupo (vai dizer que você cantaria em público igual canta no chuveiro?) e o "comportamento de manada" — a tendência das pessoas de seguir as ações de um grupo (você já olhou para um lugar só porque um monte de gente olhava para lá?).

Silvia lutou para que as pesquisas em psicologia no país fossem direcionadas às necessidades da população brasileira, de acordo com sua realidade. Na época, esses estudos avaliavam os comportamentos tendo como base a cultura de outros países, como os Estados Unidos, e o trabalho de Silvia foi fundamental para mudar isso. Para entender melhor, imagine a seguinte situação: uma equipe quer avaliar o consumo de frutas no Brasil e, no questionário, pergunta quantas vezes por semana a pessoa consome mirtilos. Isso pode fazer sentido em alguns países, mas no Brasil os resultados seriam bem mais confiáveis se, em vez de mirtilos, usassem bananas, não é? E era isto que Silvia defendia: que as pesquisas fossem feitas considerando o contexto e a realidade do Brasil.

Ela foi pioneira em desenvolver por aqui a psicologia comunitária, uma área da psicologia social que busca identificar problemas e desenvolver soluções em comunidades. Um exemplo da aplicação da psicologia comunitária é a criação de grupos de ajuda e acolhimento, como o Alcoólicos Anônimos, que promovem um fortalecimento na comunidade ao melhorar primeiro as pessoas, capacitando-as para que elas promovam a mudança social.

Silvia ainda fundou a Associação Brasileira de Psicologia Social (Abrapso), com o objetivo de fortalecer a atividade e a pesquisa da psicologia social no Brasil e na América Latina.

Silvia Tatiana Maurer Lane nasceu em São Paulo (SP) em 3 de fevereiro de 1933. Formou-se em filosofia pela USP em 1956, mas dedicou-se à pesquisa e ao ensino da psicologia social. Concluiu seu doutorado em 1972 e publicou dezenas de capítulos de livros e artigos, além de quatro livros usados como base na área até hoje. Foi a primeira mulher a presidir a SBPC e homenageada pela Associação Brasileira de Ensino de Psicologia (Abep), que instituiu o Prêmio Silvia Lane para "disseminar a produção do conhecimento e incentivar as pesquisas na área de psicologia no Brasil".

Faleceu em abril de 2006.

Silvia levou um ano pensando que faculdade faria, e quase todos os cursos passaram por sua cabeça. Até que um dia, vendo as aulas dos cursos, ela pensou: "SE EU FIZER FILOSOFIA, APRENDO TUDO O QUE EU QUERO!". E foi assim que se tornou filósofa.

"Tudo aquilo que você deseja e faz em função de um bem comum, de um bem universal é religioso. Nesse sentido, sou religiosa, sim."

Entrevista ao Jornal de Psicologia, em 2000, quando perguntada se era uma pessoa religiosa.

Silvia contou em entrevista que mudou sua forma de ensinar após ela e seus colegas receberem críticas sobre o autoritarismo dos professores da PUC. Até então, havia uma relação de dominação: "Eu sou professor, sei tudo. Você é aluno, tem que aprender comigo", e a quebra dessa relação foi um marco na história da faculdade e da própria carreira de Silvia.

SÉRGIO HENRIQUE FERREIRA

(1934–2016)

» COMO TRATAR A PRESSÃO ALTA

Para o nosso sangue conseguir circular por todo o corpo, ele é bombeado pelo coração e percorre os vasos sanguíneos: nossas veias e artérias. Enquanto está passando pelos vasos, o sangue faz uma pressão neles, a chamada pressão arterial, que precisa sempre ficar dentro de uma faixa de valores para não danificar nem os próprios vasos, nem os órgãos. É como uma mangueira: se a água passar com muita força, a mangueira pode se romper.

Quando a pressão de uma pessoa fica alta demais, diz-se que ela está com hipertensão arterial, uma das doenças que mais afetam pessoas no mundo todo, e que sempre foi muito difícil de tratar. Durante séculos, vários cientistas se dedicaram a entender melhor como funcionava a regulação da pressão no corpo na tentativa de poder controlá-la. Um deles foi Maurício Rocha e Silva, com quem Sérgio Henrique Ferreira foi trabalhar.

Maurício havia descoberto a bradicinina, uma substância produzida pelo nosso corpo que ajuda a diminuir a pressão arterial, controlando-a. Sérgio observou que havia uma substância presente no veneno da jararaca (sim, a cobra!) capaz de potencializar a ação da bradicinina. A partir dessa descoberta, pesquisadores de indústrias farmacêuticas internacionais criaram um medicamento, o captopril, que revolucionou a medicina e levou ao desenvolvimento de uma nova classe de remédios para pressão alta. O captopril foi o medicamento mais usado para tratamento de hipertensão por muito tempo e até hoje é um dos mais receitados para essa doença!

Sérgio também atuou na pesquisa de substâncias analgésicas e anti-inflamatórias. Ajudou o professor John R. Vane, da Inglaterra, a descobrir o mecanismo de ação da aspirina, o que resultou no Prêmio Nobel de Medicina para Vane em 1982. Quando voltou ao Brasil, Sérgio descobriu uma das ações da dipirona, um dos medicamentos analgésicos mais usados por aqui atualmente.

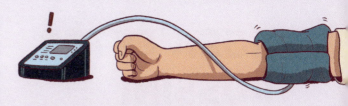

O paulista Sérgio Henrique Ferreira nasceu na cidade de Franca (SP) em 4 de outubro de 1934. Filho de Zeni Freire, uma das primeiras mulheres farmacêuticas do Brasil, Sérgio graduou-se em medicina pela USP, foi orientado pelo professor Maurício Rocha e Silva e tornou-se professor titular da Faculdade de Medicina de Ribeirão Preto (FMRP-USP).

Por suas contribuições, recebeu catorze prêmios e ainda teve um prêmio nomeado em sua homenagem: o Ferreira Award, concedido pela Sociedade Norueguesa de Hipertensão. Foi presidente da SBPC e membro da Academia Brasileira de Ciências.

Faleceu em 17 de julho de 2016.

"Algumas pessoas, na Europa, tentaram mesmo mudar o rastro da descoberta, trocando o nome do fator potenciador e tentando apagar a nossa participação nela. Mas a história é a história. Não tem jeito. Tinha sido feito aqui e pronto."

Sobre uma tentativa de fazer parecer que sua descoberta era, na verdade, europeia.

Quando entrou na faculdade, SÉRGIO QUERIA SER MÉDICO PSIQUIATRA; NEM PENSAVA EM SER CIENTISTA. Após algumas desilusões com a psiquiatria, ele resolveu buscar outras opções. Em 1961, chegou ao laboratório do professor Rocha e Silva, onde a paixão pela ciência surgiu e sua brilhante carreira teve início.

Quando escreveu o artigo científico para publicar seus resultados sobre o potenciador da bradicinina, Sérgio pôs seu orientador como coautor do trabalho, mas o professor riscou o próprio nome. Sérgio foi perguntar se havia algo errado com o trabalho e a resposta de Rocha e Silva foi que, se seu nome fosse incluído, ninguém acreditaria que o mérito era apenas de Sérgio.

ROSA ESTER ROSSINI

(1941–presente)

» POLÍTICAS PÚBLICAS PARA MULHERES

Nos anos 1980, quando as pesquisas na área da geografia estavam se consolidando no Brasil, acreditava-se que ela dizia respeito apenas a paisagem, região, território etc. Rosa Ester Rossini, uma das pioneiras da ciência no Brasil, mostrou que, para um conhecimento preciso de geografia, era fundamental considerar questões ligadas ao trabalho feminino e ao modo como as relações de trabalho impactam o espaço.

Ela foi uma das primeiras geógrafas brasileiras a discutir os dilemas do grande êxodo rural e da modernização do trabalho no campo. Em 1988, constatou cientificamente que, desde que as mulheres do campo começaram a ser assalariadas (antes, a família toda ajudava na lavoura, mas só o homem recebia pagamento), uma série de mudanças importantes ocorreu, como aumento no número de divórcios e de mulheres solteiras no comando da família, aumento de violência doméstica, queda na qualidade de vida, aumento do acúmulo de funções e até da prostituição entre as mulheres. Ela também constatou que as mulheres ganhavam menos que os homens para executar um mesmo trabalho.

Esse trabalho foi fundamental para que se pensassem em políticas públicas que melhorassem a vida de mulheres e crianças, como a implementação de creches públicas, leis de proteção contra violência doméstica, licença-maternidade, proibição do trabalho infantil, salário igual entre os gêneros, entre tantas outras.

Em 1988, Rosa participou do processo de constituição do Programa Institucional de Bolsas de Iniciação Científica no Brasil. Foi uma revolução no cenário científico no país e uma injeção de entusiasmo nos jovens alunos. A iniciação científica é a porta de entrada dos jovens na ciência, e a existência de uma bolsa que estimula esse processo é essencial para a inclusão social na área científica. Se esse é seu sonho, agradeça a Rosa!

Rosa Ester Rossini nasceu em Serra Azul (SP) em 9 de outubro de 1941. De origem humilde, é descendente de imigrantes italianos que trabalharam nas lavouras de café no fim do século XIX. Em 1960, foi para São Paulo em busca de um sonho: ser professora. Apesar das dificuldades financeiras, formou-se em geografia em 1964, na USP, onde concluiu o mestrado em 1971 e o doutorado em 1975. Sua dissertação de mestrado foi a primeira a abordar os trabalhadores volantes e migrantes. Deu aulas de pós-graduação até se aposentar, em 2008, mas desde 2011 é professora sênior na USP, atividade que exerce sem remuneração. Em 2004, foi condecorada pelo Governo Federal com a Ordem Nacional do Mérito Científico como Comendadora.

Rosa RECUPEROU O CERRADO NATIVO EM SUA CHÁCARA E A DOOU À ESCOLA DO MUNICÍPIO, onde estudou, para servir como um laboratório de pesquisa para as crianças da sua cidade natal. A escola é a única do mundo a receber o nome de seu servente, pai de Rosa, Ramiro Rossini.

"Essa bolsa é uma das ações mais importantes que o CNPq criou... É a bolsa mais democrática que existe, pois independe de classe social. [...] Tenho exemplo de muitos jovens pobres moradores de favelas que hoje são doutores."

Em entrevista para a Revista Observatorium (Revista Eletrônica de Geografia).

Em uma época em que mulheres davam aula apenas para crianças, Rosa decidiu ser professora de geografia. Ela conta que isso fez com que fosse muito repreendida por sua mãe, que achava muito atrevimento a filha do servente querer estudar mais que as filhas da diretora. Em 1975, foi homenageada em sua cidade natal por ser a primeira mulher da cidade a entrar na universidade.

MAYANA ZATZ

(1947–presente)

» TUDO SOBRE DOENÇAS GENÉTICAS

Você já ouviu falar de doença genética? São doenças causadas por uma alteração no DNA. Todo mundo tem o tal do DNA, que funciona como se fosse um livro de receitas com todas as informações sobre cada pessoa: cor do cabelo, olhos, altura, tamanho dos pés... Falamos um pouco disso lá no perfil do Crodowaldo! Embora seja incrível, o DNA não é perfeito, e às vezes suas imperfeições podem causar doenças — as tais das doenças genéticas.

Há vários tipos delas, alguns mais graves, alguns menos. Um dos mais graves são as neuromusculares, que levam à destruição dos músculos do corpo, incluindo os que nos ajudam a respirar. E é aí que entra Mayana Zatz, que pesquisa essas doenças desde a década de 1970, tentando entendê-las melhor e buscando novas terapias.

Em 1981, observando o tratamento precário de doenças neuromusculares no Brasil, Mayana fundou a Associação Brasileira de Distrofia Muscular (ABDIM) com o intuito de tratar pessoas afetadas por distrofias musculares, fossem elas ricas ou pobres, crianças ou idosas. A ABDIM busca melhorar a qualidade de vida dos pacientes e de seus familiares. Ao todo, já foram mais de 25 mil pessoas atendidas!

Mayana também foi pioneira em localizar um dos genes (peças que formam o DNA) ligados a um tipo de distrofia dos membros e ajudou a identificar o gene responsável pela Síndrome de Knobloch, uma anomalia rara que causa problemas graves e progressivos nos olhos, podendo resultar em perda de visão. Além disso, foi uma das pioneiras nos estudos com células-tronco e participou da aprovação da pesquisa com essas células no país, em 2005. Hoje, sabemos que as células-tronco têm a capacidade de se transformar em qualquer célula do corpo e podem ser reprogramadas para virar peça-chave no tratamento de várias doenças, como câncer e doenças degenerativas. Se alguns pacientes já se beneficiaram disso, uma das pessoas a quem temos de agradecer é Mayana!

Mayana Zatz nasceu em 16 de julho de 1947 em Israel, mas mudou-se para o Brasil aos 8 anos. Formou-se em ciências biológicas e é doutora em genética pela USP, com pós-doutorado em genética humana e médica pela Universidade da Califórnia, nos Estados Unidos. É professora titular da USP e coordena centros e institutos de pesquisas sobre células-tronco. Membro da ABC, ganhou vários prêmios, incluindo a Grã-Cruz da Ordem Nacional do Mérito Científico do Governo Federal (2000), a Medalha de Mérito Científico e Tecnológico do Governo de São Paulo (2000), o Prêmio L'Óreal/Unesco para Mulheres na Ciência (2001), o Prêmio TWAS em Pesquisa Médica (2004) e o Prêmio México de Ciência e Tecnologia (2008).

"Será um desastre total, como faremos pesquisas sem dinheiro e sem estudantes? Os alunos não vão poder se sustentar, será irreversível para a pesquisa."

Em defesa das pesquisas em entrevista após diversos cortes no financiamento para ciência e tecnologia em 2019.

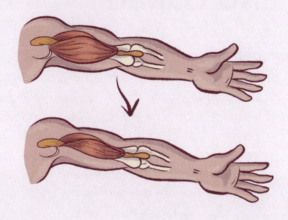

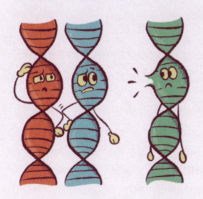

Mayana tem uma coluna na rádio USP chamada "DECODIFICANDO O DNA", na qual aborda diversos temas relacionados à genética. Já foi revisora da revista *Science*, umas das mais importantes revistas científicas do mundo, e publicou um livro intitulado *GenÉtica: escolhas que nossos avós não faziam*.

Durante a epidemia de zika no Brasil, Mayana foi para o Nordeste entender mais da doença. Ela conta que observou os sintomas das gestantes e percebeu que o vírus se dirigia ao cérebro do bebê em formação. Decidiu, então, testar o vírus em camundongos e conta que descobriu que ele ataca especificamente os tumores, o que pode virar um tratamento para humanos no futuro.

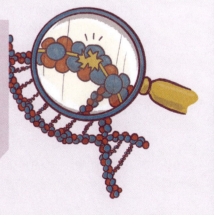

HELENA NADER

(1947–presente)

» FUNÇÃO DOS AÇÚCARES NO CORPO

Você acha que açúcar é só aquele pó que adoça coisas? Nada disso! Os açúcares, conhecidos em cientifiquês como carboidrato, sacarídeo e glicano, podem atuar tanto sozinhos quanto ligados a outras moléculas, principalmente proteínas; nesse caso, a molécula recebe o nome de glicoproteína (pouco açúcar) ou proteoglicano (muito açúcar). Os ramos da ciência que estudam essas moléculas são a especialidade de Helena Nader.

Helena observou que alterações nessas moléculas podem ser marcadores de tumores: é como se elas acendessem uma luz indicando que algo está errado — e essa luz é vista em exames de laboratório.

Outra molécula estudada por ela é a heparina, umas das proteoglicanas mais importantes. Ela impede que nosso sangue coagule dentro dos vasos sanguíneos e entupa as veias e artérias, impedindo o sangue de circular. Para entender, imagine que os vasos sanguíneos são túneis e as células do sangue são carros entrando e saindo o tempo todo. O coágulo seria um caminhão enorme atravessado, impedindo os carros de passar.

Além da ação anticoagulante, Helena mostrou outras funções da heparina, como o fato de ela se ligar a várias substâncias no corpo. Seu trabalho deu origem a novos medicamentos e produtos médicos, incluindo as heparinas de baixo peso molecular, muito usadas para tratar pacientes no mundo todo.

Mais recentemente, Helena e sua equipe demonstraram, ainda de forma preliminar (até a finalização deste livro), que a heparina é capaz de impedir que o vírus SARS-CoV-2, causador da pandemia de covid-19 de 2020, entre nas células: a molécula se liga a estruturas do vírus que funcionam como chaves para ele invadir e dominar a célula, e assim impede que ele entre e cause a infecção.

Helena também é conhecida por seu ativismo em defesa da educação, ciência e tecnologia no Brasil. É ferrenha defensora da divulgação científica e de que os pesquisadores dediquem ao menos algumas horas por ano a isso.

Nascida em 5 de novembro de 1947 em São Paulo (SP), Helena Bonciani Nader graduou-se em ciências biomédicas pela Unifesp e obteve licenciatura em biologia pela USP. Fez doutorado na Unifesp e pós-doutorado na Universidade do Sul da Califórnia, nos Estados Unidos.

É professora titular da Unifesp desde 1989, membro da Aciesp, da ABC e da TWAS. Foi a terceira mulher a presidir a SBPC. Entre seus prêmios e honras estão a Classe Grã-Cruz da Ordem Nacional do Mérito Científico (2008), a Medalha de Ouro Moacyr Álvaro (2012) e o Science Service Award, da Federação de Sociedades de Biologia Experimental (2018).

Helena contou em entrevista à *Revista Galileu* que prestou vestibular para medicina na USP e na Escola Paulista de Medicina (EPM — pertencente à Unifesp), e CHOROU UM MONTE QUANDO NÃO PASSOU. Com o incentivo do pai, acabou se matriculando no curso de ciências biomédicas da EPM, onde se apaixonou pela ciência.

"Educação, ciência e tecnologia não são gastos, são investimentos."

Em mesa redonda sobre fomento sustentável da pesquisa no Brasil, em 2016.

Ao longo de sua carreira, Helena teve várias oportunidades de estudar e realizar pesquisas fora do país, mas sempre optou por permanecer no Brasil, e hoje se orgulha disso: "Talvez lá fora eu fosse mais uma. Aqui, eu pude ajudar a construir algo significativo".

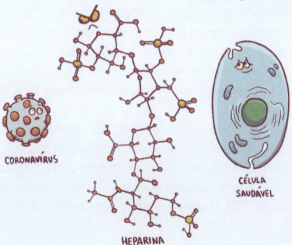

101

CARLOS AUGUSTO MONTEIRO

(1948–presente)

» COMO SE ALIMENTAR BEM

Você deve saber que certas comidas são mais saudáveis do que outras. Entre uma maçã e um hambúrguer, por exemplo, qual é melhor para a saúde? (Dica: é a fruta!) Agora, você sabia que alguns hábitos alimentares, como comer hambúrguer várias vezes por mês, podem levar ao desenvolvimento de doenças bastante sérias?

Foi o que descobriu Carlos Augusto Monteiro, que se dedicou a entender a relação dos brasileiros com a comida e como ela pode afetar a saúde — e fez isso usando um método de pesquisa inovador: em vez de entrevistar as pessoas na casa delas, Carlos e sua equipe usaram o telefone, num programa chamado Vigitel.

Funcionava assim: pesquisadores telefonavam para a casa de pessoas do Brasil todo perguntando sobre sua alimentação e se tinham alguma doença crônica.

Apesar de parecer óbvia, a estratégia de entrevista telefônica nunca tinha sido implementada, e as vantagens ficaram claras: elas eram até cinco vezes mais baratas do que as presenciais e bem mais ágeis.

Foi assim que Carlos ajudou a identificar o aumento do consumo de alimentos ultraprocessados no Brasil e sua relação com o maior número de pessoas com doenças crônicas, como hipertensão e diabetes: de acordo com seu trabalho, quanto maior o consumo desses alimentos, maior a chance de doenças.

Ele também desenvolveu o sistema NOVA, usado no mundo todo, que classifica o grau de processamento dos alimentos de 1 a 4 (inclusive, foi ele quem criou o termo "ultraprocessado"!).

Carlos ainda ajudou a melhorar os programas nutricionais das UBS, instituições públicas que atendem pessoas com demanda médica, e a desenvolver o *Guia alimentar para a população brasileira*, com recomendações para uma dieta saudável, usado pelo Ministério da Saúde em políticas voltadas à nutrição. Como se não bastasse, mostrou a importância da amamentação na queda da taxa de mortalidade em países em desenvolvimento.

Nascido em São Paulo (SP) em 8 de março de 1948, Carlos Augusto Monteiro graduou-se em medicina em 1972 na USP, onde continuou sua carreira científica até o doutorado, em 1979. Fez pós-doutorado na Universidade Columbia (Estados Unidos) e mais tarde voltou para a USP para atuar como professor, em 1981.

Suas grandes contribuições para a área da saúde lhe renderam diversos prêmios, como o Jabuti, em 1996, o Prêmio de Incentivo em Ciência e Tecnologia para o SUS, em 2005, e o Prêmio Abraham Horwitz de Liderança Científica em Saúde nas Américas, em 2010. É membro da ABC desde 2007 e um dos cientistas com maior impacto na área de ciências sociais no mundo.

"Em outros países, as pessoas não cozinham, têm só um micro-ondas e geladeira em casa. Aqui, as pessoas se sentam à mesa para comer. [...] A nossa relação com a comida é algo bonito, intangível."

Em entrevista ao ParanáPortal sobre a relação entre alimentos industrializados e culturas locais.

Como defensor da comida caseira de qualidade, CARLOS JÁ PARTICIPOU DE PROGRAMAS CULINÁRIOS como o *Cozinha prática com Rita Lobo*; ele até desenvolveu com a apresentadora um CURSO GRATUITO SOBRE COMIDA DE VERDADE, OU SEJA, NÃO INDUSTRIALIZADA! Não é comum ver cientistas em programas de culinária, mas nós aprovamos!

Carlos é um grande defensor da comida feita em casa pela sua grande complexidade nutricional. Apaixonado pela ciência e suas contribuições à sociedade, afirma que a profissão de cientista tem o poder de permitir que as pessoas tenham uma grande qualidade de vida e sejam mais felizes. Ele acredita que essa seja a maior gratificação.

CÉSAR GOMES VICTORA

(1952–presente)

» COMEMORANDO PELO LEITE AMAMENTADO

Você já ouviu um pediatra recomendar que as mães amamentem seus filhos só com leite materno até pelo menos os 6 meses de idade? Isso é fundamental para a saúde! E foi César Gomes Victora que, em 1980, descobriu a importância da amamentação para prevenir a mortalidade infantil.

César é um dos mais reconhecidos pesquisadores brasileiros na área de saúde e nutrição de mães e bebês, tendo coordenado seis coortes de nascimento, estudos que acompanham pessoas desde o nascimento para avaliar, por exemplo, a incidência de doenças. Um deles, o mais duradouro do mundo, envolveu 6 mil crianças de Pelotas (RS) desde o nascimento, em 1982, até os 30 anos de vida.

Essa pesquisa concluiu que a nutrição adequada desde o início da gestação até os 2 anos de vida é fundamental para a saúde. Sem ela, a chance de se ter doenças crônicas na fase adulta aumenta.

César também realizou extensas pesquisas em diversos estados brasileiros. Atuou como consultor em mais de quarenta países, inclusive assessorando a OMS e o Unicef.

Foi ele quem forneceu as primeiras evidências dos efeitos da amamentação sobre a inteligência, que persistem até a vida adulta: crianças que foram amamentadas por mais tempo, até 2 anos, apresentaram melhores níveis de inteligência, escolaridade e renda aos 30. Além disso, César foi um dos principais coordenadores do Estudo Multicêntrico de Referência de Crescimento, que deu origem àqueles gráficos de crescimento infantil da OMS que mostram quanto as crianças devem ter de peso e tamanho em cada idade. Esses gráficos, chamados de "curvas de crescimento", são usados por mais de 140 países!

Deu pra perceber que as pesquisas de César têm grande impacto sobre as políticas públicas globais, né? Se hoje vemos mães amamentando seus bebês por bastante tempo, podemos agradecer, pelo menos em parte, a esse brilhante pesquisador.

César Gomes Victora nasceu em São Gabriel (RS) em 28 de março de 1952. Graduou-se em medicina pela UFRGS, fez doutorado na Escola de Higiene e Medicina Tropical da Universidade de Londres e foi cofundador do Programa de Pós-Graduação em Epidemiologia da UFPEL. Coordena o Centro Internacional de Equidade em Saúde e tem cargos honorários nas universidades de Oxford, Harvard e Johns Hopkins.

Entrou para a ABC em 2006 e para a TWAS em 2018. Recebeu prêmios como a Ordem Nacional do Mérito Médico (2010), o Wellcome Trust Senior Investigator Award (2013), com financiamento para criar um Observatório Global de Desigualdades em Saúde Materno-Infantil, e o Canada Gairdner Global Health Award (2017).

"Quando terminei a medicina em Porto Alegre e falei para os meus professores que queria ir para o interior fazer pesquisa, todo mundo achou que eu era maluco. E eu até acho que eu era um pouco. Mas eu queria mostrar pra vocês que é possível."

Fala do início da sua palestra no 10º Congresso Brasileiro de Epidemiologia.

César foi coordenador científico da iniciativa Contagem Regressiva para 2015, ação para acompanhar o progresso dos países na tentativa de alcançar os ODM. Hoje, ele é um dos líderes da Contagem Regressiva para 2030, que MONITORA O PROGRESSO MUNDIAL FEITO PARA REDUZIR A MORTALIDADE MATERNA E INFANTIL.

César é um grande defensor da ciência brasileira. Ele sempre ressalta que estudou a vida inteira em escolas públicas e pede aos jovens que resistam à tentação de sair do país, que construam a pesquisa no Brasil. Como ele mesmo diz: "Já tive vários convites (para ir para o exterior), mas quero ficar no meu país. Sempre senti vontade de trabalhar com a minha população".

PAULO ARTAXO

(1954–presente)

» A TERRA ESTÁ ESQUENTANDO

Paulo Artaxo dedicou sua vida ao estudo da mudança climática e da influência da floresta amazônica no clima brasileiro e global. Foi um dos cientistas brasileiros que nos ajudou a entender quanto carbono está armazenado na Amazônia: cerca de 100 a 120 teragramas! Para se ter uma ideia, isso é cerca de dez vezes o carbono emitido pela queima de todos os combustíveis fósseis do mundo todo, todo ano. Se isso fosse jogado na atmosfera, a temperatura do planeta aumentaria muitos graus, o que seria catastrófico: muitos lugares se tornariam inabitáveis pelo calor, como algumas regiões da Índia e do Paquistão já são. Além disso, geleiras derreteriam e muitos lugares seriam engolidos pelo mar, como a Holanda e ilhas da Oceania. Imagine a tragédia.

Paulo também monitora o avanço do desmatamento na Amazônia anualmente: mostrou, por exemplo, que até 2014 a região vinha absorvendo carbono em um ritmo de 0,5 tonelada por hectare, mas, desde então, esse número tem caído drasticamente devido aos desmatamentos e à mudança climática. É um forte ativista da causa ambiental e há diversos projetos políticos baseados em sua pesquisa que visam proteger a Amazônia.

Também faz parte do IPCC, um grupo de cientistas do mundo inteiro reconhecido como máxima autoridade sobre mudanças climáticas, onde contribui com seu conhecimento vasto sobre aerossóis, que são pequenas partículas lançadas ao ar, essenciais para a formação de nuvens e regulação do clima. Representando o Brasil, ele ajudou a elaborar os diversos relatórios do IPCC que registram como o aquecimento global avança na Terra. Os cientistas do grupo ganharam o Prêmio Nobel da Paz de 2007 e Paulo está entre eles, assim como José Marengo, que também aparece neste livro. O prêmio, que foi dividido com o ex-vice-presidente estadunidense Al Gore, foi um reconhecimento do alerta feito por eles sobre as drásticas mudanças do clima.

Paulo Artaxo nasceu em São Paulo (SP) em 1954. Graduou-se em física em 1977, com mestrado em 1980 e doutorado em 1985, tudo pela USP. No pós-doutorado, trabalhou em centros de pesquisa conceituados, como a Nasa e a Universidade Harvard, nos Estados Unidos, as universidades de Lund e de Estocolmo, na Suécia, e a Universidade de Antuérpia, na Bélgica. Hoje, é professor na USP.

Paulo faz parte do grupo de catorze cientistas brasileiros que estão entre os mais influentes do mundo e foi o que mais apareceu nessa lista (em 2014, 2015, 2018 e 2019). Em 2007, recebeu o Prêmio de Ciências da Terra da TWAS e o título de Comendador (2010) e Grã-Cruz (2018) da Ordem Nacional do Mérito Científico.

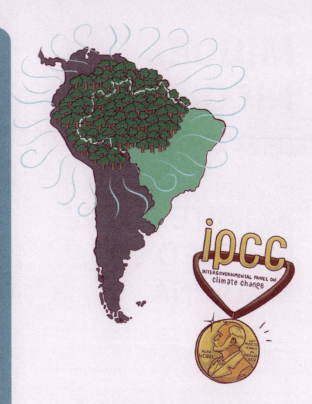

"É preciso olhar a ciência ambiental não com olhos direcionados a disciplinas específicas, pois a natureza não distingue a física, a química ou a biologia."

Sobre interdisciplinaridade na ciência.

Na adolescência, Paulo não tinha certeza se cursaria psicologia ou física. Antes de escolher a última, FOI OFFICE BOY DO CARTÓRIO onde seu pai trabalhava E OBSERVADOR METEOROLÓGICO do Mirante de Santana, em São Paulo.

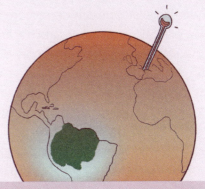

Como ativista ambiental, Paulo diz que é possível frear o desmatamento da Amazônia e desacelerar o aquecimento global e indica o caminho: governos fortes e bem orientados, com políticas públicas baseadas em ciência, e não nos interesses econômicos de grandes corporações. Para ele, essa é a única saída para o planeta.

107

MIGUEL NICOLELIS
(1961–presente)

» LIMITE ENTRE CÉREBRO E MÁQUINA

O neurocientista Miguel Nicolelis estuda a integração entre mente e corpo, em especial a recuperação do movimento de pessoas com alguma restrição por problemas neurológicos, como paraplegia ou mal de Parkinson. Uma de suas descobertas foi que a aplicação de choques na medula espinhal traz melhoras dos sintomas de pacientes com Parkinson, diminuindo os tremores e melhorando a qualidade de vida.

No fim dos anos 1990, ele mostrou que sinais elétricos gerados pelos chamados neurônios motores (que fazem nossos músculos se moverem e nos permitem andar, erguer as mãos, comer etc.), registrados em ratos acordados, podiam ser extraídos e convertidos em comandos em tempo real para um braço robótico, que reproduz os movimentos feitos pelo ratinho. É como se tivessem criado um controle remoto, só que, em vez de apertar botões, você só precisa pensar para ele funcionar!

Um dos mais conhecidos projetos de Miguel é o Andar de Novo, desenvolvido na AASDAP, em São Paulo. A colaboração internacional, que reúne neurocientistas, roboticistas, neuroengenheiros, cientistas da computação, neurocirurgiões e profissionais da reabilitação e tem o objetivo de criar uma "roupa robótica" (exoesqueleto), quer ajudar pessoas paralisadas a recuperar seus movimentos. Um protótipo foi mostrado na abertura da Copa do Mundo de 2014, no Brasil, com Juliano Pinto, paraplégico, dando o pontapé inicial do jogo de abertura.

Esse mecanismo é possível porque, mesmo que uma pessoa paralisada não consiga mexer os membros, ela ainda tem os neurônios responsáveis por pensar no movimento, como "quero chutar a bola com o pé esquerdo". O que está comprometida é a conexão entre esses neurônios e aqueles que realmente executam o movimento, ou seja, falta o "dedo de apertar o botão" do controle remoto. Essa conexão é, então, feita pela "roupa" robótica. Bem futurista, né? Mas é realidade!

Miguel Ângelo Laporta Nicolelis nasceu em São Paulo (SP) em 7 de março de 1961. Graduou-se em medicina pela USP, onde fez doutorado em ciências. Seu pós-doutorado é em fisiologia e biofísica pela Universidade de Hahnemann (Estados Unidos).

Foi considerado um dos vinte maiores cientistas em sua área pela revista *Scientific American* e um dos cem brasileiros mais influentes do ano de 2009 pela *Revista Época*, e foi o primeiro brasileiro a ter um artigo publicado na capa da revista *Science*. É membro da Pontifícia Academia de Ciências (Vaticano) e acumula diversos prêmios, incluindo a Grã-Cruz da Ordem do Ipiranga, honraria dada a cidadãos que prestaram serviços importantes aos paulistas.

"Eu pergunto se a pessoa toma aspirina, antibiótico, vacina... Tudo isso foi desenvolvido com estudos em animais e gerou benefícios para milhões."

Miguel conta que, quando chegou para trabalhar na Universidade Duke, nos Estados Unidos, os colegas lhe perguntavam: "Você estudou na Universidade de São Paulo? EM QUE LUGAR DA CALIFÓRNIA FICA ISSO? Perto de San José, Santa Barbara? São Paulo fica onde?". E ele tinha que explicar onde era sua terra natal.

Quando perguntado sobre como reage a ativistas contra estudos em animais, no Programa do Jô (Rede Globo), em 2011.

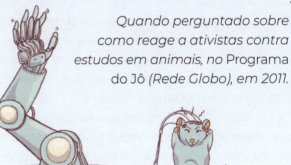

Apesar do medo de muitas pessoas de um robô "virar humano" e comandar uma "revolução das máquinas", Miguel afirma que não há chance de um computador reproduzir atributos humanos. Ele é categórico em dizer que a máquina consegue executar movimentos repetitivos, mas não consegue escrever poesia, pintar como um grande artista ou tomar decisões baseadas na natureza humana.

ÁLVARO AVEZUM

(1962–presente)

» O QUE FAZ MAL AO CORAÇÃO

Nem todo mundo sabe disso, mas as principais causas de mortes do planeta são as chamadas doenças cardiovasculares, doenças que afetam o coração. Isso quer dizer que mais gente morre em decorrência de problemas no coração do que de qualquer outra coisa e que, se conseguirmos prevenir essas doenças, muitas e muitas vidas poderão ser salvas!

Álvaro Avezum já contribuiu muito para isso. Junto com outros pesquisadores, escreveu dois estudos que investigaram os hábitos de milhares de pessoas, em mais de 52 países (inclusive o Brasil, onde Álvaro foi coordenador de pesquisa), e conseguiram identificar o que leva uma pessoa a estar mais propensa a sofrer um infarto ou um derrame, duas doenças ligadas aos problemas de coração.

Esses estudos envolveram as duas maiores pesquisas epidemiológicas do mundo, as quais permitiram identificar os hábitos do dia a dia que prejudicam nossa saúde. Pesquisas assim são fundamentais, porque, conhecendo esses hábitos, podemos eliminá-los com algumas mudanças no estilo de vida, diminuindo os riscos de desenvolver doenças.

Os fatores identificados por Álvaro e os demais pesquisadores foram: tabagismo (fumar cigarros), diabetes, pressão alta, colesterol alto, obesidade, alimentação não saudável, sedentarismo, estresse e depressão. Eles são responsáveis por 90% dos casos de infarto no mundo, incluindo o Brasil. Em outras palavras, se conseguirmos eliminá-los, vamos prevenir 90% dos casos de infarto entre nós. É por isso que esses estudos influenciam diretamente o tratamento e a prevenção de doenças, e isso pode salvar sua vida no futuro!

Álvaro ainda faz parte de uma rede de colaboradores de 85 países e está envolvido no estudo PURE (sigla em inglês para *The Prospective Urban Rural Epidemiology*, ou "A epidemiologia rural urbana prospectiva"), que monitora 200 mil pessoas de vinte países para entender mais sobre as causas biológicas e ambientais do surgimento das doenças do coração. De quebra, para nossa sorte, Álvaro é um grande defensor do uso da medicina baseada em evidências para melhorar a saúde cardiovascular no Brasil.

Álvaro Avezum Júnior nasceu em São Joaquim da Barra (SP) em 6 de agosto de 1962. Graduou-se em medicina na UFTM em 1985. Fez residência no Hospital das Clínicas da UFTM e no Instituto Dante Pazzanese, em São Paulo. Especializou-se em cardiologia, epidemiologia clínica e bioestatística pela Universidade McMaster, no Canadá, e é doutor em cardiologia pela USP.

Foi por muitos anos diretor da Divisão de Pesquisa do Instituto Dante Pazzanese de Cardiologia e atualmente é diretor do Centro Internacional de Pesquisa do Hospital Alemão Oswaldo Cruz e professor livre-docente do Departamento de Cardiologia e Pneumologia da USP. Foi classificado em 2015 pela agência multinacional Thomson Reuters como um dos quatro cientistas brasileiros com produção acadêmica de maior impacto no mundo.

"Foi importante introduzir no Brasil a medicina baseada em evidências [...]. O desafio atual é implementar os resultados de pesquisas já realizadas. Existe uma lacuna entre o conhecimento e prática clínica."

Em entrevista em 2016 para a Empresa Brasileira de Serviços Hospitalares.

Álvaro Avezum participa de um grupo da Sociedade Brasileira de Cardiologia que busca entender como FATORES LIGADOS À ESPIRITUALIDADE PODERIAM EXPLICAR ADOECIMENTOS. Isso possibilitaria identificar sentimentos (como perdão, otimismo, raiva e ressentimento) que podem influenciar o surgimento de doenças.

Álvaro acredita que a pesquisa científica deve gerar benefícios para a população. Por isso, já começou a implementação do Programa 25x25, da Federação Mundial de Cardiologia, para reduzir a mortalidade por doença cardiovascular em 25% até 2025. Ele diz com muito orgulho que o Brasil foi um dos primeiros países a implementar as estratégias de prevenção do programa.

FLÁVIO KAPCZINSKI

(1963–presente)

» DOENÇAS MENTAIS SÃO BIOLÓGICAS

No Brasil, até o começo da década de 1990, doenças como a depressão e o transtorno bipolar eram frequentemente tratadas como distúrbios de ordem psicológica. Até que Flávio Kapczinski mostrou que elas se originam por alterações no cérebro — não são "coisas da imaginação" ou frescura de quem está doente. Essa contribuição foi fundamental para o desenvolvimento da psiquiatria biológica no Brasil e no mundo.

Para comprovar sua tese, Flávio uniu o estudo da bioquímica, seu ramo de pesquisa no começo de carreira, com a psiquiatria, à qual se dedicou durante a residência médica e o doutorado. Ao estudar mais a fundo as doenças mentais, percebeu que elas têm relação com a forma como a química do cérebro se comporta, o que ajudou a compreender melhor diversas doenças, especialmente o transtorno bipolar.

Flávio descobriu também que quem sofre de doenças mentais costuma ter inflamação pelo corpo todo, principalmente na região do cérebro. Essa inflamação pode levar à morte de células na região, o que leva ao envelhecimento precoce. Ele descobriu, por exemplo, que, quando alguém tem uma crise de depressão ou de mania (um estado de euforia presente na bipolaridade), seus níveis de inflamação estão mais altos. Com base nisso, sua equipe desenvolveu a teoria de que quem é acometido por esses transtornos envelhece mais rápido, o que foi confirmado por estudos posteriores. Essa pesquisa serviu de base para um tratamento experimental que visa restabelecer a química do cérebro, retardar a mortalidade de suas células e impedir o envelhecimento precoce dos doentes. Imagine quanta gente vai se beneficiar disso!

A pesquisa de Flávio é especialmente admirável pois ele teve a iniciativa de construir uma nova área do zero, começando um novo ramo do conhecimento. Após seu trabalho, vários outros pesquisadores do mundo todo ajudaram a construir essa área e aprimorá-la.

Flávio Pereira Kapczinski nasceu em Porto Alegre (RS) em 21 de agosto de 1963. Graduou-se em medicina em 1986, fez a especialização em psiquiatria em 1989 e obteve o mestrado em 1991, tudo pela UFRGS. Fez doutorado em psiquiatria pelo King's College de Londres, em 1995, e pós-doutorado na Universidade McGill, no Canadá, em 1997. Sua livre-docência foi obtida na Unifesp, em 2009. É professor da UFRGS e pesquisador da Universidade McMaster, no Canadá.

É um dos catorze brasileiros entre os pesquisadores mais influentes do mundo e ganhou o Mogens Schou Award, prêmio mais importante da área de estudo sobre o transtorno bipolar.

"Transtornos mentais são debilitantes e dolorosos. Trazer os pacientes de volta a sua saúde, suas famílias e sua ocupação é o mais recompensador."

Sobre recompensas da profissão.

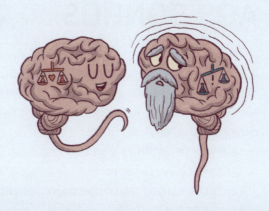

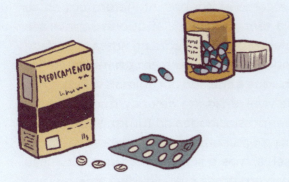

O interesse de Flávio em psiquiatria surgiu na adolescência, ao ler *Crime e castigo*, de Dostoiévski, que tem forte componente psicológico. Naquele momento, seu INTERESSE NO COMPORTAMENTO HUMANO o motivou a tentar entender melhor e ajudar pessoas que sofrem com doenças mentais.

Quando perguntado sobre sua mensagem para quem gostaria de trabalhar com ciência, Flávio declara que é um campo que sempre terá espaço, e as pessoas que se dedicarem e tiverem paixão pela ciência jamais terão dificuldade de encontrar colocação e exercer seu talento. Ele ressalta que o fazer científico e o valor do cientista são inegáveis.

113

SIDARTA RIBEIRO

(1971–presente)

» PRESTE ATENÇÃO AOS SONHOS

Aos 5 anos de idade, tendo, noite após noite, o mesmo pesadelo com arames farpados, bruxas canibais, raios e trovões, Sidarta Ribeiro desenvolveu um pavor de dormir. Não imaginava que, depois de fazer terapia e perceber que era possível controlar os próprios sonhos, ele mudaria o terrível enredo de seus pesadelos, o terror viraria aventura e ele se tornaria um dos maiores neurocientistas brasileiros, pesquisando sono, sonhos e, claro, cérebro.

Sidarta estuda as consequências do sono e como os sonhos interferem em nossa vida quando estamos acordados. Talvez você já tenha ouvido falar que os sonhos são bobagens irrelevantes, mas essa ideia não só é falsa como é recente na nossa sociedade (há relatos históricos que mostram como o sonho era importante em diversas culturas; por exemplo, um homem das cavernas que sonha que é atacado por animais vê isso como um aviso e melhora a segurança do local onde vive), e Sidarta defende que os sonhos são como um poderoso oráculo, capaz de prever possibilidades do futuro (sim, *possibilidades*! Não é porque você sonhou que foi sem roupa para a escola que isso vai acontecer!). Não sabemos o que o amanhã nos reserva, mas o sonho seria uma simulação de um futuro possível, tendo grande participação em nossa criatividade e até no nosso aprendizado. Por isso mesmo, Sidarta defende que as escolas usem o sono ao longo dos processos de ensino.

O neurocientista também teve grande importância na expansão das pesquisas para o Nordeste do país, apesar da concentração de pessoas e recursos financeiros no Centro-Sul, onde há grandes universidades, o que atraía ainda mais pessoas e recursos. Lá na década de 1990, ele e colegas neurocientistas começaram a atrair grandes cientistas para fora do eixo Rio-São Paulo. A escolha foi pelo Nordeste, na UFRN, onde criaram, em 2011, o Instituto do Cérebro, um centro de pesquisa de ponta em neurociências em nível internacional. Uma salva de palmas a esse pensamento fora da caixa.

Com os constantes cortes nos investimentos em ciência, o laboratório de pesquisa de Sidarta foi altamente afetado. Ele diz que frequentemente USA DINHEIRO DO PRÓPRIO BOLSO PARA MANTER AS PESQUISAS EM ANDAMENTO, mas, mesmo assim, se recusa a ir para o exterior abrir laboratórios em outros países.

Nascido em Brasília (DF) em 16 de abril de 1971, Sidarta Ribeiro se formou em ciências biológicas pela UnB, fez mestrado em biofísica pela UFRJ, completou o doutorado em comportamento animal pela Universidade Rockefeller, em Nova York, e prosseguiu no pós-doutorado em neurofisiologia pela Universidade Duke, na Carolina do Norte. É professor titular de neurociências, vice-diretor do Instituto do Cérebro da UFRN, diretor da SBPC, membro do comitê diretor da Escola Latino-Americana de Educação, Ciências Cognitivas e Neurais com sede nos Estados Unidos e pesquisador sênior do Centro de Pesquisas para Inovação e Difusão da Fapesp.

"Muitos professores acham que o sono é um inimigo do aprendizado escolar, quando na verdade é um grande aliado."

Frase dita em 2019 ao defender que escolas devem levar em consideração a importância do sono para o aprendizado das crianças.

Segundo Sidarta, ele só irá embora do Brasil quando não for mais possível fazer pesquisa no país. Ele diz que se sente como um violinista no convés do Titanic. É um militante contra a fuga de cérebros do país e um incansável defensor de maiores investimentos em ciência e tecnologia.

115

SUZANA HERCULANO--HOUZEL

(1972–presente)

» QUANTOS NEURÔNIOS TEMOS

Suzana Herculano-Houzel foi a primeira pessoa a descobrir precisamente quantos neurônios os seres humanos têm no cérebro, o que revolucionou o campo da neurociência.

Neurônios são as células do cérebro que transmitem informações do nosso corpo e de fora. Está com sede? Foi um neurônio que te avisou. Sente frio? Mesma coisa! Mexeu o braço? Adivinha! Eles são os responsáveis por todos os nossos movimentos, decisões, pensamentos e sensações. É como se pilotassem nosso corpo e tivessem o controle de todos os sensores para saber o que está acontecendo.

Suzana, que dedicou boa parte de sua carreira estudando a anatomia de diferentes animais para entender a evolução dos seres humanos, inventou um método novo para contar os neurônios (até então, só havia grandes estimativas, mas nenhum número preciso). Ela descobriu que o cérebro humano tem 86 bilhões de neurônios, com 16 bilhões deles no córtex, a região responsável pelo raciocínio.

Para isso, Suzana dissolveu um cérebro em um tipo especial de detergente que mantém os núcleos intactos, mas faz com que ele vire uma espécie de sopa. Isso conserva o número total de células, e, como a sopa é uniforme, ao contar as células de apenas algumas partes é possível descobrir quantas células existem no total. Parece nojento, mas é revolucionário! Com a mesma técnica, ela contou também os neurônios dos cérebros de outros animais e descobriu uma grande diferença: nenhum tem tantos neurônios no córtex quanto os seres humanos.

A partir de suas análises, ela foi capaz de criar a teoria que explica o desenvolvimento do cérebro humano e por que ele é tão especial. E a razão é simples: nós aprendemos a cozinhar! Consumir os alimentos cozidos garante que o corpo absorva mais energia da comida, e, com mais energia, passamos menos tempo em busca de comida. Isso permitiu que nossos neurônios se desenvolvessem mais e nos deu mais tempo para aprender coisas novas!

Suzana Herculano-Houzel nasceu no Rio de Janeiro (RJ) em 1972. Graduou-se em biologia (com especialização em genética) pela UFRJ, fez mestrado nos Estados Unidos (Case Western Reserve), doutorado na França (Universidade Pierre e Marie Curie) e pós-doutorado na Alemanha (Instituto Max Planck), tudo na área de neurociências.

Em 1999, criou o projeto de divulgação científica "O cérebro nosso de cada dia". Por esse esforço, ganhou menção honrosa do Prêmio José Reis de Divulgação Científica, além de um Prêmio Jabuti de literatura. Além disso, é colunista da *Folha de S.Paulo*, teve um quadro no *Fantástico*, da Rede Globo, e tem sete livros publicados.

"O destino do Brasil neste momento é imitar e depender do conhecimento gerado lá fora. É uma pena. A qualidade de vida que a gente tem hoje é completamente dependente da ciência, e deixar isso nas mãos dos outros é uma decisão que eu não tomaria."

Fala na Festa Literária Internacional de Paraty em 2016.

Em 2015, sofrendo com a falta de recursos do governo federal, Suzana CHEGOU A TIRAR DINHEIRO DO PRÓPRIO BOLSO E ENCABEÇAR UMA CAMPANHA DE FINANCIAMENTO COLETIVO para dar continuidade à sua pesquisa na UFRJ. Porém, em 2016, desistiu de lutar e FECHOU SEU LABORATÓRIO NO BRASIL PARA ASSUMIR O CARGO DE PROFESSORA na Universidade Vanderbilt, nos Estados Unidos.

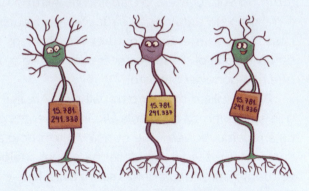

Suzana destaca o que acha de bom e ruim no sistema de ensino superior e pesquisa do Brasil. De bom, diz que nossa graduação é fantástica e dá uma base melhor que a da maioria dos outros países. Já o ponto negativo, segundo ela, é a pós-graduação, na qual os alunos recebem pouco apoio pedagógico, além da falta de estrutura e verba, o que a fez deixar o Brasil.

ARTUR ÁVILA
(1979–presente)

» A MATEMÁTICA DOS MOVIMENTOS

Artur Ávila, um dos maiores matemáticos da atualidade, não é um inventor desses que criam um objeto pronto para ser usado. Mas, ainda assim, é um grande inventor!

Ele trabalha com a chamada "matemática pura", uma ciência sem intenção prática, mas que muitas vezes é fundamento para a descoberta de novas tecnologias, por exemplo, uma fórmula que acaba virando base para um novo *app*.

As maiores descobertas de Artur aconteceram nos estudos de previsão do comportamento dos sistemas dinâmicos. Esses sistemas são ferramentas para descrever, por exemplo, a evolução de epidemias, previsões meteorológicas, a dança dos planetas em torno do Sol... Ou seja, o trabalho de Artur é usar as condições atuais para simular com o máximo de detalhes as situações do futuro. Legal, né? Essas pesquisas melhoraram nosso entendimento da natureza de diversos sistemas: se são regulares (como a queda de uma bola) ou se são estocásticos (como o movimento caótico de um pêndulo duplo, que não pode ser previsto).

Para explicar melhor o trabalho de Artur, imagine que os conteúdos de matemática que aprendemos na escola são ingredientes de um bolo. Já a matemática de Artur seria a receita. Alguém que nunca viu um bolo ser feito não consegue entender como os componentes viram a guloseima. Nessa analogia, se você não é um matemático, provavelmente aprendeu apenas sobre ovos, leite e farinha, mas nunca viu o tal bolo ser feito. Porém, nós comemos esse bolo — ou melhor, usamos as tecnologias resultantes da matemática pura — todos os dias.

Artur foi o primeiro matemático da América Latina a conquistar a Medalha Fields, graças a suas contribuições no estudo de sistemas dinâmicos caóticos. O prêmio é o equivalente ao Nobel da ciência, uma forma de inspirar jovens matemáticos. E o trabalho de Artur é tão importante que, em 2015, ele foi nomeado cavaleiro da Legião de Honra da França mesmo sem ter os 20 anos mínimos de carreira exigidos.

Nascido em 29 de junho de 1979 no Rio de Janeiro (RJ), aos 16 anos Artur já era um menino prodígio e conquistou a medalha de ouro na Olimpíada Internacional de Matemática. Ainda durante o ensino médio, fez seu mestrado no Impa. Durante a graduação em matemática na UFRJ, defendeu seu doutorado, também no Impa. Ingressou em 2003 no Centro Nacional de Pesquisa Científica, na França, onde chegou, em 2008, ao título de diretor de pesquisa com apenas 29 anos. Recebeu o Prêmio Salem (2006), o Prêmio EMS (2008), o Prix Jacques Herbrand (2009), o Prêmio Michael Brin (2011), entre outros.

Desde 2018 é professor na Universidade de Zurique, na Suíça.

"Qualquer maneira de apresentar a matemática tem que focar na individualidade dos estudantes. As pessoas têm características diferentes, e não existe uma fórmula universal que vai se adequar a todos."

Frase dita pelo matemático em entrevista de 2019 à GloboNews.

Em 1980, o físico matemático Berry Simon propôs um problema sobre uma área avançada da matemática ligada à física quântica e PROMETEU DEZ MARTÍNIS (UM TIPO DE DRINQUE) PARA QUEM FOSSE CAPAZ DE RESOLVÊ-LO. Aos 26 anos de idade (ou seja, só em 2005!), Artur publicou sua solução e ficou conhecido como ganhador das bebidas.

Artur diz que não gosta muito de carros, pois acha que o transporte público é um lugar perfeito para pensar e desenvolver seus projetos matemáticos. Ele conta que já teve ótimas ideias durante suas viagens no metrô de Paris.

PERAÍ QUE AINDA NÃO ACABOU: MAIS CIENTISTAS PRA VOCÊ!

É, a gente sabe que a capa diz "52 brasileiros". Mas este país tem *tantos* nomes importantes para a ciência que não poderíamos deixar de citar mais alguns!

A área de estudo dos cientistas desta seção usa uma base metodológica um pouco diferente da que escolhemos como ponto de partida para selecionar os 52 nomes, alguns entrando mais no campo filosófico do pensamento científico ou trazendo contribuições mais estruturais. Isso, porém, não faz com que seu trabalho e seu legado sejam menos importantes! Esses cientistas foram de extrema importância para o desenvolvimento da pesquisa no Brasil e para a estruturação da ciência nacional, alguns sendo responsáveis por introduzir novas linhas de pesquisa no país.

» GERALDO DE PAULA SOUZA
(1889–1951)

Geraldo foi um dos maiores cientistas brasileiros na área da saúde pública. Formado em farmácia e medicina, atuou ativamente na prevenção de doenças na comunidade e na educação sanitária nas escolas, onde ensinava técnicas básicas de higiene, como a lavagem das mãos e a importância de tomar banho. Foi pioneiro na adição de cloro à água encanada na cidade de São Paulo, o que foi crucial para reduzir a incidência de doenças infecciosas. Como representante do Brasil na ONU, propôs, junto ao diplomata chinês Szeming Sze, a fundação de uma agência internacional que trabalhasse para promover a saúde no mundo. Nasceria assim, em 1948, a Organização Mundial da Saúde.

» BLANKA WLADISLAW
(1917–2012)

Blanka foi a responsável por introduzir no Brasil linhas inéditas de pesquisa em química, primeiro com novas reações de compostos de enxofre — que foram fundamentais para melhorar a eficiência de remoção do enxofre dos subprodutos do petróleo e, assim, diminuir a poluição do ar na queima desses combustíveis — e depois com a eletroquímica orgânica. Ela formou várias gerações de químicos que ainda atuam ativamente na ciência brasileira. Foi uma das fundadoras do Instituto de Química da USP, uma das mais importantes instituições de ensino e pesquisa dessa universidade.

» FLORESTAN FERNANDES
(1920–1995)

Florestan é considerado o fundador da sociologia crítica no Brasil. Recebeu o Prêmio Jabuti em 1964 pelo livro *Corpo e alma do Brasil* e foi agraciado postumamente em 1996 com o Prêmio Anísio Teixeira. Seus ensaios sobre fundamentação da sociologia como ciência e seu comprometimento intelectual com o desenvolvimento da ciência no Brasil foram requisitos básicos para a inserção do país na era científica e tecnológica que florescia no mundo. Era grande defensor do ensino público, laico e gratuito como direito fundamental do cidadão. Sua tese para a cadeira de professor catedrático foi *A integração do negro na sociedade de classes*, abrindo as portas para o desenvolvimento da sociologia brasileira.

» MILTON SANTOS
(1926–2001)

Milton Santos é considerado o maior pensador da história da geografia no Brasil e um dos maiores do mundo. Seu foco de estudo foi a estruturação e o funcionamento das cidades.
    Ganhou, em 1994, o Vautrin Lud, o prêmio de maior prestígio na área, uma espécie de "Nobel de Geografia". Até hoje é o único geógrafo da América Latina a conquistar essa honra. Recebeu também o Prêmio Jabuti, em 1997, na categoria Ciências Humanas, pelo livro *A natureza do espaço*. Foi professor de várias universidades brasileiras e estrangeiras.

» RUTH E VICTOR NUSSENZWEIG
(1928–2018; 1928–presente)

Ruth e seu marido, Victor, estão por trás de uma descoberta que possibilitou o desenvolvimento da vacina contra a malária, algo que a comunidade científica acreditava ser impossível. Ruth demonstrou que injetar o parasita causador da malária morto em animais de laboratório não causava a doença — pelo contrário, produzia imunidade! Foi o primeiro e decisivo passo para mostrar que uma vacina contra a malária era não só possível mas também viável. Victor, Ruth e suas equipes de pesquisa identificaram qual parte do "corpinho" do parasita era responsável por anular a capacidade dele de causar a doença e provocar a resposta imunológica, e isso acabou se tornando a base para a fabricação da vacina, atualmente já aprovada pela Europa e sendo testada no Quênia, em Gana e no Malawi. O casal recebeu, em 2015, o Prêmio Fundação Warren Alpert, uma honraria por suas contribuições à ciência.

» MARÍLIA DA SILVA PARÈS REGALI
(1930–2018)

Marília foi uma das primeiras mulheres formadas em geologia no Brasil e a primeira mulher e pessoa formada em geologia contratada pela Petrobras, em 1960. Foi pioneira, no Brasil, na palinologia, o estudo de pólen no solo, que permite estimar a data daquele solo e as condições de estabelecer nele instalações de petróleo. Marília datou o solo de toda a costa brasileira, algo inédito em um país continental do tamanho do Brasil, colocando-a em posição de destaque mundial na área e tornando-a referência para outros países. Por sua contribuição, teve um fóssil de pólen nomeado em sua homenagem, o *Regalipollenites amphoriformes*.

» BERTHA BECKER
(1930–2013)

Conhecida como "a cientista da Amazônia", Bertha Becker dedicou a vida a estudar a geopolítica da região amazônica brasileira. Seu legado é tão grandioso que é bem difícil que os cientistas que trabalham hoje com a Amazônia nunca tenham lido sua obra. Em 2008, recebeu o Prêmio Jabuti, na categoria Ciências Naturais e Ciências da Saúde, pelo livro *Dimensões humanas da biosfera-atmosfera*. Foi membro da ABC e acumulou diversas homenagens, prêmios e medalhas.

» NIÈDE GUIDON
(1933–presente)

Nièbe é uma arqueóloga brasileira conhecida mundialmente por defender a teoria de que o povoamento do continente americano se deu muito antes do que se acredita. Enquanto a hipótese mais aceita dizia que os primeiros humanos chegaram ao continente há cerca de 15 mil anos, os achados arqueológicos de Nièbe mostraram artefatos de até 58 mil anos atrás. Em 2006, a teoria, defendida por ela desde 1978, ganhou força entre os especialistas da área. O acúmulo de evidências arqueológicas fortalece cada vez mais suas hipóteses, e seu trabalho resultou em mais de 1.300 descobertas de sítios arqueológicos e centenas de fósseis.

» HENRIQUE EISI TOMA
(1949–presente)

Henrique Toma é um grande químico especializado em nanociência, que estuda compostos com o tamanho da ordem de nanômetros, ou seja, um bilionésimo de metro (isso é muito menor do que a espessura de um fio de cabelo!). Ele foi um dos primeiros pesquisadores da área a atuar no Brasil, e uma de suas notáveis pesquisas foi com nanopartículas magnéticas. Com essa tecnologia é possível, por exemplo, tratar águas com impurezas: as nanopartículas absorvem a sujeira da água e, depois, podem ser removidas usando um ímã. Essa tecnologia já está em uso em algumas indústrias do Brasil para tratar a água usada e não poluir rios — e tem potencial para despoluir rios inteiros no futuro!

» SONIA GUIMARÃES
(1957–presente)

Sonia tem um papel de alta importância na ciência brasileira: abrir caminhos. Foi a primeira brasileira negra a obter o título de doutora em física e a primeira mulher negra a se tornar professora do ITA, uma instituição que por muitos anos foi exclusivamente masculina e branca. Hoje, além de liderar pesquisas com materiais semicondutores, Sonia mantém projetos que visam aumentar a inclusão de mulheres e negros na ciência.

CHEGOU A SUA VEZ!

É possível que, depois de ler sobre tantos cientistas incríveis e tantas pesquisas que melhoraram nosso mundo, você se pergunte: "Como faz para ser um deles?". A primeira coisa que a gente tem que destacar aqui é que não precisa ser um gênio com QI alto. Se você tem aquela mente curiosa e inquieta, se adora aprender coisas novas, saiba que ser cientista pode ser sua praia. E, como deixamos claro neste livro, existe uma infinidade de áreas nas quais é possível fazer pesquisa científica. Você vai precisar de um pouquinho de dedicação para encontrar a área que mais lhe interessa, mas a notícia boa é que é possível começar a fazer ciência antes mesmo de entrar na faculdade! Então dê uma olhada no passo a passo a seguir.

1 – Apaixonando-se

Diferentemente do que os filmes de Hollywood mostram, um cientista não sabe tudo sobre tudo. Existem diversos temas divididos em três grandes áreas: exatas, humanas e biológicas. Para saber onde você se encaixa melhor, não olhe a sua melhor nota no colégio, pois isso nem sempre define a sua paixão. Olhe para si mesmo e perceba o que mais o cativa, o que mais o emociona, o que mais o envolve. Observe o mundo ao seu redor, veja quais os desafios que requerem uma mente trabalhando para resolvê-los. Você quer ajudar a resolver quais problemas? Doenças? O excesso de lixo? Quer criar uma nova bateria que não descarrega? Encontrar um bicho novo? Entender os problemas sociais do mundo? O que o motiva a mudar o mundo?

2 – E o dinheiro vem de onde?

Depois de se apaixonar perdidamente por uma área ou por um problema (sim, é esquisito, mas acontece), você já está pronto para termos a conversa sobre o que é uma agência de fomento. As agências de fomento são órgãos públicos (com raras exceções, como o Instituto Serrapilheira, que é privado) que financiam a ciência do país e existem a nível estadual e nacional. A nível nacional existem agências como a Capes e o CNPq, e a nível estadual temos as fundações de amparo à pesquisa de cada estado, como a Fapesp, para São Paulo, a Faperj, para o Rio de Janeiro, e assim por diante. São as agências de fomento que pagam a bolsa do pesquisador, assim como a infraestrutura para a realização da pesquisa, despesas de viagem, congressos e outros gastos necessários para o desenvolvimento da pesquisa. Em outras palavras, são elas que tornam a ciência possível no Brasil.

Não podemos passar ao próximo tópico antes de deixar algo bem claro: embora seja chamada de *bolsa*, a quantia paga aos pesquisadores não tem caráter assistencial, de ajuda de custo, como um auxílio Bolsa Família, por exemplo. É o valor pago em troca de seu *trabalho* como cientista, mas que não pode ser chamado oficialmente de *salário* porque a profissão "cientista" não existe oficialmente no Brasil. Nós pesquisadores continuamos com status de *estudante*, sem direitos e deveres trabalhistas, e por isso nosso "salário" é chamado de bolsa. Além disso, não podemos deixar de citar que esse "salário" muitas vezes deixa a desejar.

Bom, aí então você quer ser cientista, mas ainda está na escola. Calma que temos uma boa notícia: você não precisa esperar até entrar na faculdade! Existem bolsas para pesquisadores do ensino médio adentrarem o mundo da ciência, como o Programa Institucional de Bolsas de Iniciação Científica Júnior (Pibic Jr.), oferecido pelo CNPq, assim como outras bolsas estaduais. Nesses programas, o estudante tem a oportunidade de acompanhar um orientador de uma faculdade, instituto ou universidade que realiza pesquisas e desenvolver uma atividade científica junto com ele. É uma ótima chance de experimentar o mundo da ciência e avaliar se é isso o que você gostaria de fazer como profissão. Além disso, é possível testar áreas diferentes e ver qual é a sua preferência de um modo mais leve, descompromissado, pois você ainda está numa fase de experimentação. É também a oportunidade de conversar com pessoas que cursaram a faculdade que você pensa em fazer e ver se é mesmo aquilo que você imaginava. Uma excelente "amostra grátis" do que é ser cientista!

Existem ainda feiras de ciência que incentivam a investigação científica por estudantes do ensino médio. Uma delas é a Febrace, que acontece em São Paulo, reunindo alunos do Brasil inteiro e premiando os melhores resultados. É um belo empurrãozinho, né?

3 – *Master of* língua

Ao mesmo tempo que você procura novas áreas e entende o que é o fomento à ciência, também já deve ir estudando inglês. *Ah, mas eu gosto de francês*. Estude inglês e francês então. Quando o assunto é ciência, precisamos entender que não tem como escapar do inglês. A brutal maioria dos artigos científicos está em língua inglesa, que foi escolhida como a linguagem universal da ciência por ser fácil de aprender e ter uma gramática simplificada (é só pensar na nossa gramática para perceber como isso é verdade). É basicamente um consenso entre os cientistas do mundo de que seria um atraso danado para a ciência se cada pesquisador publicasse seus achados na sua língua materna. Você vai ler em inglês, ouvir palestra em inglês, dar seminários em inglês, escrever seus artigos em inglês. É lógico que o mundo está em constante mudança e é capaz que daqui a uns anos lancem um aplicativo que traduza com perfeição em tempo real tudo o que a pessoa diz. Mas, enquanto isso não acontece, a gente precisa muito do inglês. Então não perca *time*, comece desde *now* a estudar *English*. Escolas de inglês não são a única forma de aprender: você pode estudar na internet, ver filmes em inglês, baixar jogos em inglês... As próprias universidades oferecem cursos gratuitos para a população, basta se informar!

4 – O grande passo

A maioria dos estudantes termina o ensino médio com aquela grande questão: **E AGORA, O QUE EU FAÇO DA MINHA VIDA?** (Sim, gritando mesmo, em desespero. Já passamos por isso.) A boa notícia é que, se você começou a fazer iniciação científica júnior no ensino médio, terá um pouco menos de dúvidas e no mínimo já saberá do que gosta ou, pelo menos, do que não gosta. Está na hora de dar o próximo grande passo para a sua carreira de cientista: fazer graduação.

É na graduação que a carreira do cientista realmente começa. Como em um jogo de RPG, aqui você ganha os atributos que vão definir sua classe, seja ela biologia, matemática, engenharia, sociologia, qualquer área. O item 9 vai ajudá-lo a entender onde você pode cursar a sua faculdade.

Durante a graduação, você pode optar por uma iniciação científica para fazer pesquisa pra valer (ou quase). A gente explica: aqui você realmente vai desenvolver uma pesquisa sua, porém quase sempre ainda sob tutoria de outro aluno, de mestrado ou doutorado. Ainda assim, é nessa fase que você começa a se desenvolver como cientista e aprende a ler e escrever artigos, fazer observações e experimentos, e assim vai... Para isso, mais uma vez, as agências de fomento entram em ação: são elas que vão pagar o seu "salário" como pesquisador e o material da sua pesquisa. *Um viva para as agências que fomentam a ciência no Brasil!*

5 – O que eu posso pesquisar?

Neste ponto, pode surgir uma dúvida: em quais áreas posso fazer pesquisa? A resposta é bem ampla: basicamente... em quais você quiser!

O curso de graduação é basicamente um guia, uma bússola da sua formação, mas não é, de forma alguma, um limite para o que você deve aprender. É verdade que é comum as pessoas fazerem pesquisa na área que estudam: químicos na química, matemáticos na matemática, sociólogos na sociologia... No entanto, pode acontecer de, no meio da graduação, percebermos que temos interesse por uma área que não está 100% no nosso curso. Por exemplo, digamos que você tenha entrado no curso de química, mas se interesse em pesquisar vacinas, um tema da farmácia. Nada o impede de falar com professores da área e trabalhar no laboratório deles; assim, você pode adquirir um novo conhecimento. Outro exemplo: você ingressou em uma faculdade da área de exatas, como física ou engenharia, mas no meio do caminho percebeu que gosta muito de educação. Pode passar a pesquisar isso. A ciência, afinal de contas, é feita de pontes e, de repente, o conhecimento prévio que você trouxe pode ser de grande valor para a nova área a ser estudada, na qual você pode se especializar em uma pós-graduação!

E se não existir uma área em comum entre a que você estuda e aquela em que tem interesse? Oras, você pode criá-la! Áreas de intersecção surgem o tempo todo na ciência e são muito importantes para expandir o nosso conhecimento e, ao mesmo tempo, ligar ideia e conceitos que poderiam parecer distantes, mas têm muito a contribuir entre si. Foi assim que surgiram a quimioinformática, a bioquímica, a engenharia biomédica e a mecatrônica, para citar apenas alguns exemplos. Muitas das áreas que serão pesquisadas daqui a uns dez anos talvez ainda nem existam hoje; perceber os desafios do mundo, estudar e gostar do que faz são as chaves para se encontrar numa área todinha sua.

6 – Já acabou?

A conclusão de um curso de graduação é o que abre as portas para a consolidação da sua carreira como cientista: a pós-graduação. É claro que nesse meio-tempo você pode ter se apaixonado por uma infinidade de outras coisas, mas, se ainda sonha em ser cientista, agora é a hora de se tornar um mestre e/ou um doutor.

Aqui temos que diferenciar dois conceitos importantes de pós-graduação: *lato sensu* e *stricto sensu*. A pós-graduação LATO SENSU é o que normalmente chamamos de **especialização** e inclui os cursos conhecidos como MBA, do inglês *Master in Business Administration*. Têm duração mínima de 360 horas, mas geralmente são cursos que ocorrem uma vez por semana ou a cada quinze dias e duram cerca de um ano a um ano e meio. Ao final, o aluno recebe um **certificado**, não um diploma. São cursos que trazem atualizações e aperfeiçoamentos de determinada área e são feitos por quem busca melhores colocações profissionais. Quase sempre são cursos pagos pelos estudantes.

Já a pós-graduação STRICTO SENSU inclui os **mestrados e os doutorados**, e ao final do programa o aluno recebe um **diploma** no qual consta seu título de mestre ou de doutor. É aqui que você dá os passos seguintes na sua carreira de cientista! Mas nem tudo é só pesquisa, não: o mestrando ou doutorando (ou seja, a pessoa cursando o mestrado ou o doutorado) precisa cursar várias disciplinas que vão acrescentar mais conhecimento à sua formação. Ou seja: ainda não se abandona totalmente a "função" de aluno. Para obter o título de mestre ou doutor, o aluno precisa apresentar e defender seu trabalho de pesquisa no final, que pode ser uma dissertação (mestrado) ou uma tese (doutorado);

e esse trabalho, geralmente, precisa também ser publicado em revistas científicas internacionais. Ao contrário da pós-graduação *lato sensu*, o aluno de mestrado ou doutorado não paga pelo curso (com exceção dos de faculdades particulares), pelo contrário, recebe um "salário" para fazê-lo, que é a bolsa que já explicamos. No Brasil, a maioria das pesquisas é feita, de fato, pelos estudantes de pós-graduação. São eles quem fazem girar as engrenagens da ciência e botam a coisa pra funcionar.

Cabe explicar uma coisa bem importante: por existirem esses dois tipos de pós-graduação, *lato* e *stricto*, e por muitas pessoas só conhecerem o primeiro deles, tem quem ache que fazer mestrado e doutorado é um jeito de "mamar nas tetas do governo" para se especializar na profissão. Essa confusão surge pelo desconhecimento do propósito de cada pós-graduação e pela diferença financeira que existe entre elas. Então vamos acabar com essa confusão: as pós-graduações do tipo mestrado e doutorado não são especializações para melhorar a carreira, elas *são* a carreira.

Agora que todas as cartas estão na mesa, podemos falar: em algumas áreas, você não precisa obrigatoriamente fazer um mestrado antes do doutorado e pode entrar direto em um doutorado (que chama doutorado direto, *supercriativo*). Isso não é comum em todas as áreas científicas e podemos dizer que existem prós e contras. A decisão acaba sendo muito pessoal, mas vamos lhe dar as informações de que você precisa.

Primeiro, o mestrado costuma ser o início da carreira, quando você aprende a andar com as próprias pernas e a conduzir sua pesquisa de forma mais independente. Se você não fez uma iniciação científica durante a graduação, o mestrado é crucial para seu ingresso na vida científica. Agora, se você fez uma iniciação científica bem sólida, teve a oportunidade de conduzir sua pesquisa com certa independência e até publicou artigos, pular direto para o doutorado pode ser uma ótima opção. Mas saiba desde já que o processo seletivo para o doutorado direto costuma ser bem mais rigoroso, justamente porque você precisa provar que está apto a obter um título de doutor ao final do programa.

Independentemente do tipo de doutorado que você faça, com ou sem mestrado antes, existe uma oportunidade muito interessante que pode acontecer no processo: fazer um sanduíche. Calma! Quem não é cientista fica confuso quando ouve um doutorando dizer que "foi fazer um sanduíche no exterior" e já acha que a pessoa foi trabalhar numa lanchonete. Mas, nesse caso, sanduíche não é colocar recheio entre duas fatias de pão, e sim colocar um período do seu trabalho em uma instituição no exterior entre dois períodos no Brasil. Você pode fazer um ano no Brasil, um ano no exterior e voltar para mais um ou dois anos no Brasil, por exemplo. É uma chance incrível de conhecer outras culturas, criar contato com cientistas renomados e até aprender outras formas de fazer ciência, o que dá uma excelente experiência na carreira.

E, antes que você se desespere, perguntando como que é que você vai conseguir ser cientista no exterior, existem programas específicos das agências de fomento que financiam a vida do pós-graduando no país de destino. Algumas agências, como a Fapesp, permitem que você faça até mesmo graduação e mestrado sanduíches, com períodos mais curtos no exterior. Em certos casos, é possível até mesmo que a instituição de pesquisa estrangeira financie o estágio. É necessário se informar bastante sobre cada tipo de programa, suas vantagens e desvantagens.

Ufa, falta só mais um item: o pós-doutorado. Embora o nome pareça superchique, é uma posição intermediária de pesquisa que não dá nenhum diploma (alguns lugares dão certificados). Em geral, é um período em que o doutor se dedica exclusivamente à ciência e aproveita para dar uma bela incrementada no currículo, porque não tem mais disciplinas para concluir nem uma tese para defender. Com a experiência adquirida em todos esses anos, é o momento de se concentrar na experimentação e na colaboração científica e, claro, na publicação de todos os achados.

Esse profissional extremamente especializado e experiente muitas vezes está aguardando sua chance de brilhar em algum concurso para professor em uma universidade ou em busca de uma vaga que exija o título de doutor em uma indústria, por exemplo. O "salário" dos pós-doutorandos também é pago pelas agências de fomento, e muitos doutores optam por fazer o pós-doutorado inteiro no exterior para adquirir ainda mais experiência na carreira ou mesmo um pós-doutorado sanduíche.

7 – Tô aqui com meus diplomas. E agora?

Depois que você fez mestrado e/ou doutorado (e talvez até pós-doutorado) e está com um currículo que considera um arraso, pode tentar um concurso para ser pesquisador em uma universidade. Lá você fará pesquisa, mas, como no Brasil isso é indissociável do ensino, você será professor também. A outra opção é tentar uma vaga em alguma indústria ou empresa que faça pesquisa científica, como a indústria farmacêutica, de construção civil, alimentícia ou de cosméticos, alguns setores que estão sempre pesquisando para desenvolver novas tecnologias e produtos. Mas saiba que esses lugares costumam investir mais em PESQUISA APLICADA (aquela que usa todo o conhecimento existente para criar novas tecnologias), em detrimento da PESQUISA BÁSICA (o acúmulo de conhecimento em si). Nas universidades, por outro lado, são feitos os dois tipos de pesquisa, com algumas instituições puxando a sardinha mais para uma, outras mais para outra, mas com opções de pesquisa muito maiores do que nas empresas.

> Imagine um bolo (sim, a gente ama bolo, por isso a metáfora se repete no livro todo!). Ele é feito a partir da junção de ingredientes e de técnicas culinárias, certo? O bolo é o resultado da **pesquisa aplicada:** uma pesquisa que uniu os ingredientes já bem conhecidos da melhor forma e resultou em um produto para a sociedade. A pesquisa que estudou cada um dos ingredientes individualmente, descobrindo qual é o melhor ingrediente para cada finalidade e como usá-los, e analisou cada uma das técnicas é a **pesquisa básica:** uma pesquisa que acumulou conhecimentos que podem ser usados em várias áreas.

8 – Sempre em dia com a leitura

Um bom cientista não pode deixar a peteca cair nunca. Isso quer dizer que é importantíssimo manter-se atualizado sobre as pesquisas que ocorrem na área em que você escolheu atuar. Você irá a congressos científicos, fará colaborações, nutrirá uma rede de pesquisadores, conhecerá de cor os maiores nomes da sua área, exibirá orgulhosamente uma biblioteca de livros e artigos de interesse (inclusive muitos de sua autoria) e, claro, usará o método científico até para fazer café. A esta altura, você não *está* cientista, você é cientista. Quem sabe daqui a uns anos seja feito um livro parte 2 sobre os cientistas brasileiros e você, que leu este livro, esteja na próxima lista? O céu é o limite para quem ama o que faz!

9 – E onde é que se faz ciência neste país?

As universidades são divididas em dois grupos: as públicas e as privadas. As públicas oferecem ensino gratuito a todos os alunos, de qualquer origem, e é nelas que se realiza a maior parte da pesquisa no Brasil, por isso é onde a maior parte das oportunidades de pesquisa está. Todo estado no Brasil tem, no mínimo, uma universidade federal, e podemos citar como exemplos a Unifesp, a UFSCar, a UFABC, a UFPR, a UFBA, a Ufam, a UFMG, a UFC, entre tantas outras. Além disso, atualmente 22 dos 26 estados brasileiros mantêm universidades estaduais — a exceção se dá no Acre, no Espírito Santo, em Rondônia e em Sergipe. Algumas das estaduais mais conhecidas são a USP, a Unesp, a Unicamp, a Uerj, a UEL, a UEM e a Uepa.

As universidades privadas são muitas, provavelmente em muito maior número que as públicas, e a grande diferença é que, para estudar nelas, o aluno deve pagar uma mensalidade ou contar com algum tipo de bolsa de estudos. É possível fazer pesquisa científica em universidades privadas, porém as oportunidades costumam ser um pouco menores, já que em muitas delas os professores são contratados apenas para dar aulas, ao contrário do que vemos nas universidades públicas, onde também é função dos professores orientar estudantes em pós-graduações. Existe aqui também uma diferença no propósito: enquanto as universidades públicas surgem inicialmente para produzir conhecimento e fazer ciência, formando alunos no processo, as universidades privadas surgem primariamente para formar alunos para o mercado de trabalho; dessa forma, a pesquisa costuma ser colocada como atividade secundária, e é por esse motivo que poucas universidades privadas investem em ciência.

Além das universidades, existem outras instituições que realizam pesquisa. O Instituto Butantan, em São Paulo, por exemplo, é uma das referências mundiais não só na produção mas também na pesquisa de vacinas e soros. Ele teve uma atuação de destaque durante a pandemia de covid-19, sendo o responsável por coordenar estudos clínicos e produção de vacinas que foram usadas no Brasil inteiro! É possível afirmar tranquilamente que enfrentar a pandemia teria sido ainda mais difícil se não fosse pela sua existência — o que comprova a importância da ciência brasileira e da valorização de nossos cientistas. Outro exemplo é o Instituto Adolfo Lutz, um dos líderes em pesquisa na área de saúde no país, tendo mais de 80 anos de história. E há ainda a Fiocruz, com sede no Rio de Janeiro, que tem mais de 120 anos de história e é pioneira na pesquisa de saúde pública no país, contando também com institutos em dez estados brasileiros e um escritório em Moçambique, na África. Ela também teve papel determinante na produção e na distribuição de vacinas para covid-19 no país.

E não é só de pesquisa em saúde que vive o Brasil! A Embrapa pesquisa na área de agronomia há quase 50 anos e é uma das responsáveis pelo sucesso do Brasil no setor devido à sua eficiência. Para se ter uma ideia, a Embrapa estima que, a cada um real investido em pesquisa na agricultura, o Brasil lucra doze. Há dezenas de institutos de pesquisa espalhados por diversos estados. É possível até que você more perto de um e não saiba!

E há ainda mais um caminho para se tornar cientista, um que está engatinhando no Brasil: a pesquisa na iniciativa privada. Aqui, a pesquisa é realizada dentro de empresas, mas quase sempre com o que chamamos de instrumentalização da pesquisa, ou seja: a pesquisa é feita para desenvolver um novo produto, processo ou algo que possa ser comercializado pela empresa que a realiza. Um bom exemplo são as empresas farmacêuticas, que anualmente investem milhões de reais no desenvolvimento de novos medicamentos, sempre destinando parte de seu lucro aos pesquisadores e equipamentos para manter a engrenagem da pesquisa girando. Muitos cientistas optam pela ciência na iniciativa privada por ter um ritmo diferente e por gostarem do meio corporativo. Ou seja, tem ciência para todo gosto!

CIENTISTAS RUMO AO INFINITO... E ALÉM!

Os 52 cientistas deste livro, somados aos onze que incluímos em **Peraí que ainda não acabou: mais cientistas pra você!**, marcaram o passado e o presente da ciência brasileira. Esta última lista (a gente jura que é realmente a última) traz nomes que prometem guiar nosso futuro: cientistas no auge de suas carreiras que provavelmente deixarão um legado digno de entrar em um volume 2 deste livro.

Alicia Juliana Kowaltowski (USP): estuda o metabolismo energético e descobriu como diferentes dietas afetam diretamente as mitocôndrias, organelas que produzem energia para nosso corpo, e as implicações disso para a saúde e o envelhecimento.

André Luiz Souza (cientista no Spotify): iniciou sua carreira de cientista estudando como as crianças aprendem a falar. Hoje, além de professor nos Estados Unidos, é disputado por grandes empresas de tecnologia, como Google e Facebook, para estudar o comportamento humano e aplicar os achados na experiência do usuário das plataformas.

Celina Turchi (Fiocruz Recife): comandou o grupo de pesquisas que descobriu a relação entre o vírus da zika e a microcefalia, o que a fez figurar na lista dos dez cientistas mais importantes do mundo da *Nature* (2016) e na lista das cem pessoas mais influentes do mundo da revista *Time* (2017).

Ester Sabino (USP): liderou a equipe que sequenciou o genoma do novo coronavírus (Sars-CoV-2) no Brasil, um feito que teve grande impacto porque foi realizado em apenas 48 horas, enquanto pesquisadores de outros países levaram até quinze dias para fazer o mesmo. A resposta rápida foi crucial para desenvolver as vacinas e diagnosticar o vírus.

Houtan Noushmehr (USP): o cientista estadunidense é professor da USP desde 2012, onde estuda como a genética influencia no aparecimento de tumores, sobretudo no cérebro e no ovário, contribuindo para a pesquisa da iniciativa mundial Atlas do Genoma do Câncer (TGCA, na sigla em inglês). Foi um dos cientistas mais influentes no Brasil em 2019, segundo o instituto britânico Clarivate Analytics.

Julio Cesar Batista Ferreira (USP): liderou a equipe de pesquisadores que desenvolveu uma nova molécula, batizada de SAMbA, capaz de impedir a progressão da insuficiência cardíaca, uma doença que atinge mais de 2 milhões de brasileiros por ano.

Laura Barbosa de Carvalho (USP): é economista e autora do livro *Valsa brasileira: do boom ao caos econômico*, um dos mais vendidos de 2018. No livro, Laura analisa o crescimento econômico desde o início do século XXI e a subsequente crise da economia brasileira a partir de 2014.

Lilia Schwarcz (USP): uma das mais renomadas historiadoras brasileiras, acumula prêmios e livros publicados e é professora da USP e *global scholar* (uma espécie de professor visitante) da Universidade de Princeton, nos Estados Unidos. Ela estuda a antropologia das populações afro-brasileiras e afirma que o Brasil hoje vive uma recriação do racismo estrutural.

Marcelle Soares-Santos (Universidade Brandeis – Estados Unidos): astrofísica, recebeu a bolsa de pesquisa da Fundação Alfred P. Sloan, que premia os mais proeminentes jovens cientistas do mundo. A importância da bolsa pode ser resumida em uma frase: 47 ganhadores da bolsa receberam também o Prêmio Nobel.

Maria Carolina de Oliveira Rodrigues (USP): investiga o uso de células-tronco do próprio paciente para tratar e controlar a esclerose múltipla, uma doença genética que não tem cura. Foi uma das ganhadoras do Prêmio L'Oreal para Mulheres na Ciência em 2014.

Mauro Galetti (Unesp): estuda a defaunação, a extinção global ou local de animais, e seus impactos no ecossistema, como a interrupção do espalhamento de sementes, que originariam novas plantas. Foi reconhecido como um dos cientistas mais influentes do mundo em 2019 pelo instituto britânico Clarivate Analytics.

Miriam Dupas Hubinger (Unicamp): estuda como os alimentos são degradados durante o processamento e como evitar essa degradação. Seu trabalho mais reconhecido foi sobre como processar açaí em pó, procedimento até então inédito. Foi também reconhecida em 2019 pelo instituto britânico Clarivate Analytics como uma das cientistas brasileiras mais influentes do mundo.

Pablo Ortellado (USP): filósofo com atuação na área de gestão de políticas públicas, fundou o Monitor do Debate Político no Meio Digital, uma ferramenta do Facebook que busca esclarecer como grupos políticos interagem na plataforma e medir até onde vão as notícias falsas, além de identificá-las.

Paulo Andrade Lotufo (USP): trabalha monitorando e entendendo como várias doenças, a exemplo de diabetes, hipertensão, depressão e infarto, distribuem-se na população brasileira. Representa o Brasil na rede internacional Impacto Global das Doenças (tradução livre do inglês Global Burden of Diseases). Foi considerado um dos cientistas mais influentes no Brasil em 2018 pelo instituto britânico Clarivate Analytics.

Renata Bertazzi Levy (USP): faz parte da equipe que desenvolveu o NOVA, a ferramenta que mudou a área de epidemiologia nutricional — a mesma de Carlos Monteiro. Renata se dedica a estudar a oferta de ultraprocessados a crianças e adolescentes. Está no ranking de cientistas mais influentes do mundo feito em 2019 pelo instituto britânico Clarivate Analytics.

Thaisa Storchi Bergmann (UFRGS): essa astrofísica brasileira investiga buracos negros supermassivos que ficam no centro das galáxias. Por ajudar a compreender como buracos negros interagem com suas galáxias e como isso afeta a evolução delas, Thaisa recebeu o Prêmio L'Oreal para Mulheres na Ciência em 2015.

DIVULGADORES DE CIÊNCIA

Não poderíamos terminar este livro sem falar de divulgadores e comunicadores científicos que fazem o importante papel de explicar a ciência para todo mundo! Sabe aquele canal de ciência no YouTube que faz vídeos mastigadinhos? Sabe aquele jornalista que faz matérias que todo mundo entende? Sabe aquele professor ou cientista que consegue dar uma palestra como ninguém? Aqui estão alguns deles para você acompanhar bem de pertinho (se é que já não acompanha, né?). Aliás, os três autores deste livro, além de cientistas, são divulgadores de ciência! Você pode acompanhar nosso trabalho no Nunca vi 1 Cientista e no Via Saber.

Altay de Souza e Ken Fujioca
Naruhodo Podcast –
Variedades científicas

Atila Iamarino
Canal Atila Iamarino – Ciências biológicas e curiosidades

BláBláLogia
Ciências biológicas e curiosidades

Colecionadores de Ossos
Paleontologia

Davi Calazans
Ponto em comum –
Curiosidades científicas

Drauzio Varella
Canal Drauzio Varella –
Ciências da saúde

Giovana Xavier
Página Preta Dotora (idealizadora do Grupo de Estudos e Pesquisas Intelectuais Negras)

Iberê Thenório e Mari Fulfaro
Manual do Mundo –
Curiosidades científicas

Icles Rodrigues
Canal Leitura ObrigaHISTÓRIA e podcasts de ciências humanas

Herton Escobar*
Jornalista de ciência (*Jornal da USP* e revista *Science*)

Julia Jacoud
Canal A Matemaníaca – Matemática

Luisa Massarani*
Jornalista de ciência, pesquisadora no Núcleo de Estudos da Divulgação Científica da Fiocruz

Marcelo Gleiser
Professor, escritor e apresentador – Física

Márcia Jamille
Arqueologia pelo Mundo – Arqueologia

Mila Laranjeira e Vivi Mota
Canal Peixe Babel – Tecnologia, computação e programação

Natália Pasternak Taschner
Instituto Questão de Ciência (USP) – Ciências biológicas

Nina da Hora
Site Computação sem Caô – Ciência da computação

Paulo Miranda Nascimento (Pirula)
Canal do Pirula – Ciências biológicas (e polêmicas)

Pedro Loos
Ciência todo dia – Física e curiosidades científicas

Reinaldo José Lopes*
Jornalista de ciência (*Folha de S.Paulo*) e escritor

Rita von Hunty
Canal Tempero Drag – Ciências humanas

Science Vlogs Brasil
Selo que reúne canais de divulgação científica no YouTube Brasil, com credibilidade comprovada. Recomendamos *todos* os canais com esse selo!

---

* *Vencedor(a) do Prêmio José Reis de Divulgação Científica e Tecnológica do CNPq.*

LISTA DE UMAS PALAVRAS DIFÍCEIS QUE VOCÊ VAI VER POR AQUI
(GLOSSÁRIO)

Alimento ultraprocessado — Denominação criada pela classificação NOVA (sistema que classifica o grau de processamento dos alimentos) para se referir a alimentos que são ricos em sal, açúcar e gordura hidrogenada, além de conter corantes, saborizantes, conservantes e outros aditivos.

Analgésico — Medicamento que alivia dores.

Anti-inflamatório — Medicamento que diminui a inflamação, um processo criado pelo corpo para se defender (de micro-organismos, de substâncias estranhas, de um osso quebrado) que pode se tornar descontrolado e causar danos.

Apicultor – Aquele que cria ou trata de abelhas.

Átomo — A menor unidade da matéria. Todo o universo é feito de átomos, que, por sua vez, são compostos de um núcleo (o centro), onde ficam os prótons e nêutrons, que é rodeado por elétrons. Cada elemento químico na tabela periódica é um átomo diferente, e a junção de átomos forma as moléculas.

Bactéria — Um organismo feito de uma célula só e que a gente encontra em praticamente tudo! — até mesmo em lugares muito frios, como a Antártida, ou muito quentes, como em gêiseres (nascentes termais que jorram água e vapor muito quentes, vindos do subsolo). As bactérias podem ser boas, ajudando animais e plantas a obter nutrientes, ou ruins, causando doenças.

Biodiversidade — A riqueza e a variedade de plantas, animais, insetos e micro-organismos do mundo natural.

Botânica — A ciência das plantas.

Caixeiro-viajante — Representante comercial que viaja com o objetivo de divulgar, vender ou apresentar produtos seus ou de uma empresa.

Cardíaco — Pessoa que tem problemas de coração.

Célula — A menor unidade de vida. São como tijolos que constroem a grande casa que é o seu corpo. Alguns organismos são feitos de uma célula só, como as bactérias e as amebas.

Células-tronco — Células especiais, com capacidade de se transformar em qualquer célula do corpo.

Cólera — Causada por uma bactéria, a *Vibrio cholerae*, essa doença tem como principais sintomas vômito e diarreia intensos. Se não tratada, pode levar à morte.

Coorte — Tipo de estudo observacional da epidemiologia que tenta estabelecer correlação de causa entre alguns eventos em uma população.

Córtex cerebral — A parte mais externa do nosso cérebro, também conhecida como substância cinzenta.

Cromossomo — Uma molécula de DNA bem empacotadinha. Se você imaginar que a molécula de DNA é um fio de lã, o cromossomo é o novelo. Cada célula pode ter vários cromossomos, e esse número varia com a espécie, por exemplo: humanos têm 46 cromossomos, enquanto ratos têm 42 e moscas-das-frutas têm oito.

Depressão — Transtorno mental caracterizado por períodos extensos de humor deprimido e perda de interesse ou motivação em atividades do cotidiano ou relações pessoais.

Dermatologia — Área da medicina que estuda a pele e suas doenças.

Distrofia muscular — Grupo de doenças caracterizado por apresentar perda de massa muscular e força dos músculos.

DNA — O nome completo é ácido desoxirribonucleico, e ele é como um grande fio de moléculas grudadas e que contém todas as informações sobre nós, as informações genéticas. Todos os organismos (plantas, animais, bactérias) têm DNA.

Doença crônica — Qualquer doença cujos sintomas persistem por mais de três semanas.

Elitista — Restrito a elites; que exclui os que não pertencem ao grupo denominado elite, isto é, uma pequena parcela da sociedade que detém poderes políticos, econômicos e sociais sobre os demais.

Epidemiologia — Ramo da medicina que estuda o processo saúde-doença em populações, não no indivíduo (uma pessoa só).

Física de partículas — Campo da física que estuda as menores partículas que conhecemos e as interações entre elas.

Fitopatologia — Ciência que estuda as doenças de plantas.

Forense — Que se refere ao desvendamento de crimes por meio da ciência (também pode se referir a foro, a questões judiciais, mas aqui usamos só no sentido mais instigador!).

Hanseníase — Doença causada pela bactéria *Mycobacterium leprae* que provoca lesões nos nervos e na pele, tornando-a insensível ao toque. É possível enfiar uma agulha na região infectada da pele de uma pessoa sem que ela sinta nada.

Herborizador — Aquele que coleta e/ou coleciona plantas para estudo ou aplicações medicinais.

Hermético — Algo completamente fechado, de modo que não entre ar ali. É sinônimo de selado ou lacrado.

Licenciatura — Grau universitário que permite que o profissional dê aulas nos níveis fundamental e médio de ensino.

Mal de Parkinson — Uma doença ainda sem causa conhecida que provoca a morte de neurônios responsáveis pelo controle dos movimentos. Seu sintoma mais comum é o tremor constante das mãos, que diminui muito a autonomia e a qualidade de vida do paciente.

Material dielétrico — Material que não conduz eletricidade, sendo, portanto, um isolante elétrico.

Meteorito — Pedaço de meteoro ou asteroide que atravessa a atmosfera e cai na superfície da Terra.

Monopólio — Situação em que somente uma pessoa ou empresa controla a oferta de um produto ou serviço, sem enfrentar concorrência.

Neurociência — Área que estuda tudo relacionado ao sistema nervoso, incluindo a neurofisiologia.

Neurofisiologia — Área de pesquisa que estuda o funcionamento do sistema nervoso, composto de cérebro, medula espinhal e todos os nervos do corpo.

Neurônios — Células que formam o sistema nervoso (cérebro, medula espinhal e nervos).

Nitrogênio — Elemento químico que compõe a maior parte da nossa atmosfera (78%) e é fundamental em várias moléculas dos organismos, incluindo o DNA e todas as proteínas.

Notação — Sistema ou conjunto de sinais usado para representar elementos de algum campo do conhecimento.

Onírico — Relacionado aos sonhos.

Oráculo — Pessoa ou entidade que faz previsões do futuro.

Parasita — Organismos que vivem em associação com outros, chamados de hospedeiros. Os parasitas retiram do hospedeiro tudo de que precisam para sobreviver, geralmente causando problemas que podem resultar em uma doença ou até na morte do hospedeiro. Embora bactérias e vírus causadores de doenças possam ser considerados parasitas, o termo é usado para descrever organismos estudados pela parasitologia, que incluem protozoários e amebas (organismos eucariontes de uma célula só) e helmintos (vermes que lembram uma minhoca, mas moram dentro de animais, e não na terra).

Peste bubônica — Doença causada por uma bactéria, a *Yersinia pestis*, transmitida pela picada de pulgas. Seus principais sintomas são febre e vários nódulos enegrecidos (os bubões) no pescoço, na virilha e nas axilas, e, se não tratada, pode levar à morte. É também conhecida como "peste negra", por ter dizimado cerca de um terço da população da Europa no século XIV.

Placebo — Substância ou tratamento neutros que podem aliviar ou curar sintomas devido ao efeito psicológico capazes de causar.

Porta-enxerto — Técnica usada para gerar mudas de plantas de modo a aproveitar as características vantajosas de duas espécies, como a resistência a alguma praga.

Química analítica — Ramo da química que estuda a identificação ou quantificação de elementos químicos.

Raios cósmicos — Partículas subatômicas que chegam à Terra vindas do espaço.

Revolta da Vacina — Movimento popular ocorrido no Brasil no começo do século XX em resposta à obrigatoriedade da vacina contra a varíola.

Sangria — Técnica amplamente utilizada na medicina medieval que consistia na realização de um corte no paciente, deixando-o sangrar por um determinado período com o objetivo de alcançar a cura. Não há, no entanto, registros científicos de que essa prática cure qualquer doença.

Sífilis — Doença sexualmente transmissível causada pela bactéria *Treponema pallidum*. Em seu estágio mais grave, afeta o sistema nervoso.

Sonar — Técnica ou equipamento que localiza objetos embaixo d'água por meio da emissão de ondas e ultrassom e pela interpretação do eco que as ondas produzem ao alcançar o objeto. É também utilizado como meio de comunicação entre submarinos submersos.

Soro antiofídico — Medicamento para tratar mordidas de serpentes venenosas. É obtido a partir de anticorpos retirados do sangue de animais que receberam o veneno.

Sufragista — Mulher que, em parte do século XIX e início do século XX, lutou pelo sufrágio feminino, isto é, para que as mulheres tivessem o direito de votar.

Teragrama — Um trilhão de gramas (ou um bilhão de quilos).

Transtorno bipolar — Perturbação psíquica que se caracteriza por alternâncias de comportamento: a pessoa oscila entre episódios de impulsão e euforia e de depressão.

Tuberculose — Doença crônica causada pela bactéria *Mycobacterium tuberculosis*. Normalmente afeta os pulmões, causando tosses prolongadas que podem durar meses, mas pode também afetar outros órgãos, como a pele e os rins.

Vigitel — Sistema de pesquisa sobre alimentação e doenças crônicas da população brasileira realizado por telefone.

LISTA DAS SIGLAS

Aasdap – Associação Alberto Santos Dumont para Apoio à Pesquisa

ABC – Academia Brasileira de Ciências

ABDIM – Associação Brasileira de Distrofia Muscular

Aciesp – Academia de Ciências do Estado de São Paulo

Capes – Coordenação de Aperfeiçoamento de Pessoal de Nível Superior

CNEN – Comissão Nacional de Energia Nuclear

CNPq – Conselho Nacional de Desenvolvimento Científico e Tecnológico

Embrapa – Empresa Brasileira de Pesquisa Agropecuária

EPM – Escola Paulista de Medicina da Universidade Federal de São Paulo

Esalq – Escola Superior de Agricultura Luiz de Queiroz da Universidade de São Paulo de Piracicaba

Fapemig – Fundação de Amparo à Pesquisa do Estado de Minas Gerais

Faperj – Fundação de Amparo à Pesquisa do Estado do Rio de Janeiro

Fapesp – Fundação de Amparo à Pesquisa do Estado de São Paulo

FAU-USP – Faculdade de Arquitetura e Urbanismo da Universidade de São Paulo

Febrace – Feira Brasileira de Ciências e Engenharia

FFCL – Faculdade de Filosofia, Ciências e Letras

FFLCH – Faculdade de Filosofia, Letras e Ciências Humanas da Universidade de São Paulo

Fiocruz – Fundação Oswaldo Cruz

FRMP-USP – Faculdade de Medicina de Ribeirão Preto da Universidade de São Paulo

FMUSP – Faculdade de Medicina da Universidade de São Paulo

Funed – Fundação Ezequiel Dias

IEA – Instituto de Energia Atômica

Impa – Instituto de Matemática Pura e Aplicada

InCor – Instituto do Coração

INT – Instituto Nacional de Tecnologia

Iousp – Instituto Oceanográfico da Universidade de São Paulo

IPCC – Painel Intergovernamental sobre Mudanças Climáticas

Ipen – Instituto de Pesquisas Energéticas e Nucleares

IPO – Instituto Paulista de Oceanografia (atual Iousp)

IPT – Instituto de Pesquisas Tecnológicas

ISO – Organização Internacional de Padronização

ITA – Instituto Tecnológico de Aeronáutica

Nasa – Administração Nacional da Aeronáutica e Espaço dos Estados Unidos da América

ODM – Objetivos de Desenvolvimento do Milênio

OMS – Organização Mundial da Saúde

ONU – Organização das Nações Unidas

Pibic – Programa Institucional de Bolsas de Iniciação Científica

PUC – Pontifícia Universidade Católica

SBPC – Sociedade Brasileira para o Progresso da Ciência

TWAS – Academia Mundial de Ciências

UBS – Unidade Básica de Saúde

UDF – Universidade do Distrito Federal; atualmente, é a UnB

UEL – Universidade Estadual de Londrina

UEM – Universidade Estadual de Maringá

Uema – Universidade Estadual do Maranhão

Uepa – Universidade do Estado do Pará

Uerj – Universidade do Estado do Rio de Janeiro

UFABC – Universidade Federal do ABC

Ufam – Universidade Federal do Amazonas

UFBA – Universidade Federal da Bahia

UFC – Universidade Federal do Ceará

UFMG – Universidade Federal de Minas Gerais

Ufop – Universidade Federal de Ouro Preto

UFPA – Universidade Federal do Pará

UFPE – Universidade Federal de Pernambuco

UFPEL – Universidade Federal de Pelotas

UFPR – Universidade Federal do Paraná

UFRGS – Universidade Federal do Rio Grande do Sul

UFRJ – Universidade Federal do Rio de Janeiro

UFRN – Universidade Federal do Rio Grande do Norte

UFSCar – Universidade Federal de São Carlos

UFTM – Universidade Federal do Triângulo Mineiro

UFU – Universidade Federal de Uberlândia

UnB – Universidade de Brasília

Unesco – Organização das Nações Unidas para a Educação, a Ciência e a Cultura

Unesp – Universidade Estadual Paulista

Unicamp – Universidade Estadual de Campinas

Unicef – Fundo das Nações Unidas para a Infância

Unifesp – Universidade Federal de São Paulo

USP – Universidade de São Paulo

REFERÊNCIAS BIBLIOGRÁFICAS

Afinal, o que raios é ciência?

CHIBENI, Silvio Seno. "O que é ciência?". Disponível em: https://www.unicamp.br/~chibeni/textosdidaticos/ciencia.pdf. Acesso em: 8 fev. 2021.

GLASSMAN, Jeff. "Conjecture, Hypothesis, Theory, Law: the basis of rational argument". *The Crossfit Journal Articles*, California, n. 64, dez. 2007. Disponível em: http://library.crossfit.com/free/pdf/64_07_Conjecture_to_Law.pdf. Acesso em: 8 fev. 2021.

PÉREZ, Daniel Gil *et al*. "Para uma imagem não deformada do trabalho científico". *Ciência e Educação*, São Paulo, v. 7, n. 2, pp. 125-153, 2001. Disponível em: https://www.scielo.br/pdf/ciedu/v7n2/01.pdf. Acesso em: 8 fev. 2021.

Adolfo Lutz

"ADOLPHO Lutz". *Wikipédia*. Disponível em: https://pt.wikipedia.org/wiki/Adolfo_Lutz. Acesso em: 5 fev. 2021.

BENCHIMOL, Jaime Larry. "Adolpho Lutz: um esboço biográfico". *História, Ciências, Saúde-Manguinhos*, Rio de Janeiro, v. 10, n. 1, abr. 2003. Disponível em: https://www.scielo.br/scielo.php?script=sci_arttext&pid=S0104-59702003000100002. Acesso em: 5 fev. 2021.

_____ *et al*. "Adolpho Lutz e a história da medicina tropical no Brasil". *História, Ciências, Saúde-Manguinhos*, Rio de Janeiro, v. 10, n. 1, abr. 2003. Disponível em: www.scielo.br/scielo.php?script=sci_arttext&pid=S0104-59702003000100011&lng=en&nrm=iso. Acesso em: 5 fev. 2021.

MARCOLIN, Neldson. "ENFIM, PRETO NO BRANCO". *Pesquisa Fapesp*, São Paulo, Fapesp, n. 107, pp. 8-11, jan. 2005. Disponível em: https://revistapesquisa.fapesp.br/wp-content/uploads/2005/01/08-011-memoria.pdf. Acesso em: 5 fev. 2021.

Revista do Instituto Adolfo Lutz. Número comemorativo do centenário do nascimento de Adolfo Lutz. Instituto Adolfo Lutz, São Paulo, v. 15, 1955. Disponível em: www.ial.sp.gov.br/resources/insituto-adolfo-lutz/publicacoes/rial/50/rial-151-2_1955/rial151-2_completa.pdf. Acesso em: 5 fev. 2021.

SALEME, Roseliane. "Adolpho Lutz". *InfoEscola*, São Paulo. Disponível em: https://www.infoescola.com/biografias/adolpho-lutz. Acesso em: 5 fev. 2021.

Emílio Marcondes Ribas

ALMEIDA, Marta de. "Combates sanitários e embates científicos: Emílio Ribas e a febre amarela em São Paulo". *História, Ciências, Saúde-Manguinhos*, Rio de Janeiro, v. 6, n. 3, pp. 577-607, fev. 2000. Disponível em: https://www.scielo.br/scielo.php?script=sci_arttext&pid=S0104-59702000000400005&lng=en&nrm=iso&tlng=pt#5. Acesso em: 8 fev. 2021.

"EMÍLIO Ribas". *O Estado de S. Paulo*, São Paulo, 19 dez. 1925. Disponível em: https://acervo.estadao.com.br/noticias/personalidades,emilio-ribas,940,0.htm. Acesso em: 8 fev. 2021.

SANTOS, J. A. A. dos. "Em memória de Emílio Marcondes Ribas". *Arquivos da Faculdade de Higiene e Saúde Pública da Universidade de São Paulo*, São Paulo, v. 18, n. 1-2, pp. 133-152, 1964. Disponível em: https://www.revistas.usp.br/afhsp/article/view/85780. Acesso em: 8 fev. 2021.

Vital Brazil

ABIFINA. "Instituto Vital Brazil: desde 1919 em defesa da saúde, da ciência e da vida". *Facto*, Rio de Janeiro, n. 40, abr./maio/jun. 2014. Disponível em: www.abifina.org.br/revista_facto_materia.php?id=530. Acesso em: 9 fev. 2021.

INSTITUTO VITAL BRAZIL. "História do cientista Vital Brazil". Niterói, [s.d.]. Disponível em: http://www.vitalbrazil.rj.gov.br/historia-cientista.html. Acesso em: 9 fev. 2021.

PÁGINA 3 PEDAGOGIA E COMUNICAÇÃO. "Vital Brazil". *UOL*, São Paulo, ago. 2005. Disponível em: https://educacao.uol.com.br/biografias/vital- brasil.htm. Acesso em: 9 fev. 2021.

Juliano Moreira

"FUNDO HNA - Hospital Nacional de Alienados". *Base de dados História e Loucura*, Rio de Janeiro, [s.d.]. Disponível em: http://historiaeloucura.gov.br/index.php/hospital-de-pedro-ii. Acesso em: 18 abr. 2020.

"HERÓIS da Saúde na Bahia". *Bahiana: Escola de Medicina e Saúde Pública*, Bahia, [s.d.]. Disponível em: www.bahiana.edu.br/herois/heroi.aspx?id=NA==. Acesso em: 18 abr. 2020.

"JULIANO Moreira". *Academia Brasileira de Ciências*, Rio de Janeiro, [s.d.]. 1 vídeo (2:52). Disponível em: www.abc.org.br/atuacao/nacional/divulgacao-cientifica/ciencia-gera-desenvolvimento/juliano-moreira. Acesso em: 18 abr. 2020.

"JULIANO Moreira (06/01/1872 - 1933). Professor substituto de clínica psiquiátrica". Disponível em: www.fameb.ufba.br/filebrowser/download/95. Acesso em: 18 abr. 2020.

ODA, Ana Maria Galdini Raimundo; DALGALARRONDO, Paulo. "Juliano Moreira: um psiquiatra negro frente ao racismo científico". *Revista Brasileira de Psiquiatria*, São Paulo, v. 22, n. 4, dez. 2000. Disponível em: www.scielo.br/scielo.php?script=sci_arttext&pid=S1516-44462000000400007&lng=en&nrm=iso. Acesso em: 18 abr. 2020.

"Prêmios FMB". *Faculdade de Medicina da Bahia*, Bahia, [s.d.]. Disponível em: www.fameb.ufba.br/pr%C3%AAmios. Acesso em: 18 abr. 2020.

Oswaldo Cruz

AGUIAR, Raquel; ROCHA, Lucas; FERREIRA, Vinicius. "Oswaldo inspira: cem anos sem Oswaldo Cruz (1872-1917)". *Instituto Oswaldo Cruz (Fiocruz)*, Rio de Janeiro, [s.d.]. Disponível em: www.ioc.fiocruz.br/oswaldoinspira. Acesso em: 9 fev. 2021.

CASTRO, Daniel Santos de. "Oswaldo Cruz". *InfoEscola*, São Paulo, [s.d.]. Disponível em: https://www.infoescola.com/biografias/oswaldo-cruz. Acesso em: 9 fev. 2021.

FIOCRUZ. "A trajetória do médico dedicado à ciência". Texto adaptado da edição n. 37 da *Revista de Manguinhos*, maio 2017, Rio de Janeiro. Disponível em: https://portal.fiocruz.br/trajetoria-do-medico-dedicado-ciencia. Acesso em: 9 fev. 2021

INSTITUTO OSWALDO CRUZ. "Criação do Instituto Soroterápico". Rio de Janeiro, [s.d.]. Disponível em: www.fiocruz.br/ioc/cgi/cgilua.exe/sys/start.htm?sid=60. Acesso em: 9 fev. 2021

MAGALHÃES, Rosicler. "Biblioteca de Manguinhos: histórico". *Fiocruz*, mar. 2017. Disponível em: www.fiocruz.br/bibmang/cgi/cgilua.exe/sys/start.htm?sid=79. Acesso em: 9 fev. 2021.

PALMA, Ana. "Oswaldo Cruz". *Fiocruz*, Rio de Janeiro, [s.d.]. Disponível em: www.invivo.fiocruz.br/cgi/cgilua.exe/sys/start.htm?infoid=114&sid=7. Acesso em: 9 fev. 2021.

Carlos Chagas

BRASIL. Ministério da Ciência, Tecnologia e Informações. "Carlos Chagas". *Canal Ciência*, Brasília, [s.d.]. Disponível em: www.canalciencia.ibict.br/notaveis/92-carlos-chagas. Acesso em: 10 fev. 2021.

FRAZÃO, Dilva. "Carlos Chagas: Médico brasileiro". *Ebiografia*, última atualização 17 abr. 2019. Disponível em: https://www.ebiografia.com/carlos_chagas. Acesso em: 10 fev. 2021.

MESQUITA, Evandro Tinoco et al. "Prêmios Nobel: Contribuições para a Cardiologia". *Arquivos Brasileiros de Cardiologia*, São Paulo, v. 105, n. 2, pp. 188-196, ago. 2015. Disponível em: www.scielo.br/scielo.php?script=sci_arttext&pid=S0066-782X2015002100188&lng=en&nrm=iso. Acesso em: 10 fev. 2021.

Fritz Feigl

CONSELHO regional de química (IV Região). "Breve histórico de Fritz Feigl". In: SENISE, Pascoal. "Origem do Instituto de Química da USP: reminiscências e comentários". São Paulo: Instituto de Química da USP, 2006. Disponível em: https://www.crq4.org.br/fritz_feigl. Acesso em: 9 fev. 2021.

CPRM. "Fritz Feigl". [s.d.]. Disponível em: www.cprm.gov.br/publique/Redes-Institucionais/Rede-de-Bibliotecas---Rede-Ametista/Fritz-Feigl-523.html. Acesso em: 9 fev. 2021.

ESPINOLA, Aïda. "Fritz Feigl: sua obra e novos campos tecno-científicos por ela originados". *Química Nova*, São Paulo, v. 27, n. 1, pp. 169-176, fev. 2004. Disponível em: www.scielo.br/scielo.php?script=sci_arttext&pid=S0100-40422004000100029&lng=en&nrm=iso. Acesso em: 9 fev. 2021.

HAINBERGER S. J., Leopoldo. "A vida e a obra de Fritz Feigl". *Química Nova*, Rio de Janeiro, abr. 1983. Disponível em: http://static.sites.sbq.org.br/quimicanova.sbq.org.br/pdf/Vol6No2_55_v06_n2_%286%29.pdf. Acesso em: 9 fev. 2021.

Bertha Lutz

BEOLENS, Bo; WATKINS, Michael; GRAYSON, Michael. "*The Eponym Dictionary of Amphibians*". Exeter: Pelagic Publishing, 2013.

"BERTHA Lutz". *Wikipédia*. Disponível em: https://pt.wikipedia.org/wiki/Bertha_Lutz. Acesso em: 18 abr. 2020.

"BERTHA Lutz". *Plenarinho*, Câmara dos Deputados, Brasília, 7 mar. 2019. Disponível em: https://bit.ly/2xCzHqC. Acesso em: 18 abr. 2020.

BRASIL. Ministério da Justiça e Segurança Pública. *Arquivo Nacional*, Brasília [s.d.]. Disponível em: https://www.gov.br/arquivonacional/pt-br. Acesso em: 18 abr. 2020.

CARARO, Aryane; SOUZA, Duda Porto de. "Extraordinárias mulheres que revolucionaram o Brasil". São Paulo: Seguinte. 2017.

LUTZ, Bertha. "New Brazilian forms of Hyla". *Pearce-Sellards Series*, Austin, n. 10, abr. 1968. Disponível em: https://repositories.lib.utexas.edu/bitstream/handle/2152/30082/tmm-pss-10.pdf?sequence=2. Acesso em: 18 abr. 2020.

"O ULTRAFEMINISMO do jornalista Heitor Lima: Bertha Lutz evita falar em divórcio". *Museu virtual Bertha Lutz*, [S.l.], 29 mar. 2017. Disponível em: http://lhs.unb.br/bertha/?cat=11. Acesso em: 18 abr. 2020.

Djalma Guimarães

"ARROJADITE Mineral Data". *Mineralogy Database*. Disponível em: http://webmineral.com/data/Arrojadite.shtml#.XpdOlP1Kipo. Acesso em: 18 abr. 2020.

BRASIL. Ministério de Minas e Energia. *Serviço Geológico do Brasil - CPRM*, Brasília, [s.d.]. Disponível em: www.cprm.gov.br/publique/Redes-Institucionais/Rede-de-Bibliotecas---Rede-Ametista/Breve-Historia-da-Mineralogia-Brasileira-2566.html. Acesso em: 18 abr. 2020.

"CIENTISTAS brasileiros: Djalma Guimarães, o descobridor do nióbio brasileiro". *Empresa Brasil de Comunicação* (EBC), Brasília, 14 jan. 2016. 1 vídeo (5:01). Disponível em: www.ebc.com.br/infantil/voce-sabia/2016/01/cientistas-brasileiros-djalma-guimaraes-o-descobridor-do-niobio. Acesso em: 18 abr. 2020.

MARCIANO, Vitória Régia Péres da Rocha Oliveiros. "Um mestre que amava a terra". *Diversa*: revista da Universidade Federal de Minas Gerais, Belo Horizonte, ano 5, n. 11, maio 2007. Disponível em: https://www.ufmg.br/diversa/11/artigo4.html. Acesso em: 18 abr. 2020.

OLIVEIRA, Gabriela Dias de; MONTEIRO, Suely Aparecida Ribeiro. "Síntese histórica: a trajetória de Djalma Guimarães". Disponível em: https://pt.slideshare.net/SuelyMonteiro/sntese-djalma. Acesso em: 18 abr. 2020.

SPENCER, Leonard James. "New Mineral Names". Disponível em: www.minsocam.org/ammin/AM34/AM34_770.pdf. Acesso em: 18 abr. 2020.

TEIXEIRA, Lucas Borges. "Quase 100% do nióbio é brasileiro, mas extração é cara e mercado é restrito". *UOL*, Curitiba, 28 jun. 2019. Disponível em: http://economia.uol.com.br/noticias/redacao/2019/06/28/niobio-comercio-limitado-monopolio.htm. Acesso em: 18 abr. 2020.

Samuel Pessoa

ANDRADE, Rodrigo de Oliveira. "Medicina no campo". *Pesquisa Fapesp*, São Paulo, n. 255, maio 2017. Disponível em: https://revistapesquisa.fapesp.br/2017/05/23/medicina-no-campo/?. Acesso em: 10 fev. 2021.

HOCHMAN, Gilberto. "Samuel Barnsley Pessoa e os determinantes sociais das endemias rurais". *Ciência & Saúde Coletiva*, Rio de Janeiro, v. 20, n. 2, pp. 425-431, fev. 2015. Disponível em: www.scielo.br/scielo.php?script=sci_arttext&pid=S1413-81232015000200425&lng=pt&nrm=iso. Acesso em: 10 fev. 2021.

PAIVA, Carlos Henrique Assunção. "Samuel Pessoa: uma trajetória científica no contexto do sanitarismo campanhista e desenvolvimentista no Brasil". *História, Ciências, Saúde-Manguinhos*, Rio de Janeiro, v. 13, n. 4, pp. 795-831, dez. 2006. Disponível em: www.scielo.br/scielo.php?script=sci_arttext&pid=S0104-59702006000400002&lng=pt&nrm=iso. Acesso em: 10 fev. 2021.

Gleb Vassielievich Wataghin

"GLEB Wataghin". *Centro de Pesquisa e Documentação de História Contemporânea do Brasil* (CPDOC), Fundação Getulio Vargas, Rio de Janeiro, 2010. Disponível em: www.fgv.br/cpdoc/historal/arq/Entrevista477.pdf. Acesso em: 18 abr. 2020.

PREDAZZI, Enrico. "Gleb Wataghin". *Faculdade de Ciências de Turim*, Turim, [s.d.]. Disponível em: www.sbf1.sbfisica.org.br/eventos/enfpc/xx/programa/Gleb_Wataghin.htm. Acesso em: 18 abr. 2020.

SALMERON, Roberto Aureliano. "Gleb Wataghin". *Estudos Avançados*, São Paulo, v. 16, n. 44, jan./abr. 2002. Disponível em: www.scielo.br/scielo.php?script=sci_arttext&pid=S0103-40142002000100020&lng=en&nrm=iso. 18 abr. 2020.

Carmen Portinho

BRASIL. Ministério da Ciência, Tecnologia e Informações. "Carmem Portinho". *Canal Ciência*, Brasília, [s.d.]. Disponível em: www.canalciencia.ibict.br/ciencia-brasileira-3/notaveis/309-carmen-portinho. Acesso em: 18 abr. 2020.

"CARMEM Portinho". *Centro de Pesquisa e Documentação de História Contemporânea do Brasil* (CPDOC), Fundação Getulio Vargas, Rio de Janeiro, [s.d.]. Disponível em: https://cpdoc.fgv.br/producao/dossies/JK/biografias/carmen_portinho. Acesso em: 18 abr. 2020.

"CARMEM Portinho". *Wikipédia*. Disponível em: https://pt.wikipedia.org/wiki/Carmen_Portinho. Acesso em: 18 abr. 2020.

"CONJUNTO Habitacional Pedregulho". *Enciclopédia Itaú Cultural*, São Paulo, 17 jul. 2018. Disponível em: http://enciclopedia.itaucultural.org.br/termo4442/conjunto-habitacional-pedregulho. Acesso em: 18 abr. 2020.

CONTE, Mariana. "Mulheres na arquitetura: o feminismo de Carmem Portinho". *Casa Claúdia*, São Paulo, 22 ago. 2017. Disponível em: https://casaclaudia.abril.com.br/arquitetura/mulheres-na-arquitetura-feminismo-carmen-portinho. Acesso em: 18 abr. 2020.

MARCOLIN, Neldson. "Sempre na vanguarda". *Pesquisa Fapesp*, São Paulo, abr. 2007. Disponível em: https://revistapesquisa.fapesp.br/2007/04/01/sempre-na-vanguarda. Acesso em: 18 abr. 2020.

Nise da Silveira

BRASIL. Ministério da Saúde. "Homenageados com a medalha de Mérito Oswaldo Cruz". Brasília, 27 mar. 2018. Disponível em: https://www.saude.gov.br/noticias/agencia-saude/42642-homenageados-com-a-medalha-de-merito-oswaldo-cruz. Acesso em: 18 abr. 2020.

CÂMARA, Fernando Portela. "História da Psiquiatria: vida e obra de Nise da Silveira". *Psychiatry on line Brasil*, São Paulo, v. 7, n. 9, set. 2002. Disponível em: www.polbr.med.br/ano02/wal0902.php. Acesso em: 18 abr. 2020.

DULCE, Emilly. "Nise da Silveira: a mulher que revolucionou o tratamento mental por meio da arte". *Brasil de Fato*, São Paulo, 15 fev. 2018. Disponível em: https://www.brasildefato.com.br/2018/02/15/nise-da-silveira-a-mulher-que-revolucionou-o-tratamento-da-loucura-por-meio-da-arte. Acesso em: 18 abr. 2020.

MAIA, Otávio Borges; SALES, Kleber. "Vox: arte, cultura e ciência no Brasil". *Instituto Brasileiro de Informação em Ciência e Tecnologia* (Ibicit), Brasília, 2017. Disponível em: https://livroaberto.ibict.br/handle/123456789/1070. Acesso em: 18 abr. 2020.

"NISE da Silveira". *Wikipédia*. Disponível em: https://pt.wikipedia.org/wiki/Nise_da_Silveira. Acesso em: 18 abr. 2020.

"NISE da Silveira". *Psicologia: ciência e profissão*, Brasília, v.22, n. 1, mar. 2002. Disponível em: https://www.scielo.br/scielo.php?script=sci_arttext&pid=S1414-98932002000100014. Acesso em: 18 abr. 2020.

SANTOS, Luiz Gonzaga Pereira dos. "Nise da Silveira". *Psicologia: ciência e profissão*, Brasília, v.14, n. 1-3, 1994. Disponível em: https://www.scielo.br/scielo.php?script=sci_arttext&pid=S1414-98931994000100005. Acesso em: 18 abr. 2020.

Joaquim da Costa Ribeiro

ABRAHÃO, Eliane Morelli. "Uma descoberta inesperada". *Revista Ciência Hoje*, Rio de Janeiro, 1 out. 2004. Disponível em: https://cienciahoje.org.br/artigo/uma-descoberta-inesperada. Acesso em: 18 abr. 2020.

FERREIRA, Guilherme Fontes Leal. "Há 50 anos: o efeito Costa Ribeiro". *Revista Brasileira de Ensino de Física*, v. 22, n. 3, set. 2000. Disponível em: www.sbfisica.org.br/rbef/pdf/v22_434.pdf. Acesso em: 18 abr. 2020.

"JOAQUIM da Costa Ribeiro". *Centro de Lógica, Epistemologia e História da Ciência*, Unicamp, Campinas, [s.d.]. Disponível em: https://www.cle.unicamp.br/index.php/content/joaquim-da-costa-ribeiro. Acesso em: 18 abr. 2020.

"JOAQUIM da Costa Ribeiro". *Sociedade Brasileira de Física*, Osasco, [s.d.]. Disponível em: www.sbfisica.org.br/v1/home/images/premiacoes/JoaquimdaCostaRibeiro.pdf. Acesso em: 18 abr. 2020.

"PRÊMIO Joaquim da Costa Ribeiro". *Sociedade Brasileira de Física*, Osasco, [s.d.]. Disponível em: www.sbfisica.org.br/v1/home/index.php/pt/premiacoes-da-sbf/joaquim-da-costa-ribeiro. Acesso em: 18 abr. 2020.

SAVIGNANO, Verônica. "História da Pesquisa em materiais: Joaquim da Costa Ribeiro e o efeito termodielétrico". *SBP-Mat*, Rio de Janeiro, 26 out. 2012. Disponível em: https://www.sbpmat.org.br/pt/historia-da-pesquisa-em-materiais-joaquim-da-costa-ribeiro-e-o-efeito-termodieletrico. Acesso em: 18 abr. 2020.

José Reis

ALBUQUERQUE, Cristiane. "José Reis ganha biografia e site com base em acervo na Fiocruz". *Fundação Oswaldo Cruz*, Rio de Janeiro, 26 nov. 2018. Disponível em: https://agencia.fiocruz.br/jose-reis-ganha-biografia-e-site-com-base-em-acervo-na-fiocruz. Acesso em: 18 abr. 2020.

"JOSÉ Reis". *Brasiliana: a divulgação científica no Brasil*, Fundação Oswaldo Cruz, Rio de Janeiro, [s.d.]. Disponível em: www.fiocruz.br/brasiliana/cgi/cgilua.exe/sys/start.htm?infoid=86&sid=30. Acesso em: 18 abr. 2020.

MASSARANI, Luisa; BURLAMAQUI, Mariana; PASSOS, Juliana. "José Reis: caixeiro viajante da ciência". Rio de Janeiro: Fundação Oswaldo Cruz, 2018. Disponível em: http://josereis.coc.fiocruz.br/wp-content/uploads/2018/06/miolo_jose_reis_caixeiro_ciencia_web.pdf. Acesso em: 18 abr. 2020.

MASSARANI, Luisa; SANTANA, Eliane Monteiro de (orgs.). "José Reis: reflexões sobre a divulgação científica". Rio de Janeiro: Fundação Oswaldo Cruz, 2018. Disponível em: http://portal.sbpcnet.org.br/livro/ebook_reflexoes_divulgacao_cientifica_press.pdf. Acesso em: 18 abr. 2020.

José Ribeiro do Valle

BRASIL. Ministério da Ciência, Tecnologia e Informações. "José Ribeiro do Valle". *Canal Ciência*, Brasília, [s.d.]. Disponível em: www.canalciencia.ibict.br/ciencia-brasileira-3/notaveis/266-jose-ribeiro-do-valle#entrevista-concedida-a-luiz-r-travassos-departamento-de-micro-imuno-e-parasitologia-escola-paulista-de-medicina-neide-lurkiewicz-departamento-de-farmacologia-escola-paulista-de-medicina-e-vera-rita-da-costa-ciencia-hoje. Acesso em: 18 abr. 2020.

"JOSÉ Ribeiro do Valle". *Centro de Pesquisa e Documentação de História Contemporânea do Brasil* (CPDOC), Fundação Getulio Vargas, Rio de Janeiro, 2010. Disponível em: www.fgv.br/cpdoc/historal/arq/Entrevista496.pdf. Acesso em: 18 abr. 2020.

LAPA, Antônio José. "José Ribeiro do Valle". Universidade Federal de São Paulo, Departamento de Farmacologia, São Paulo, [s.d.]. Disponível em: www2.unifesp.br/dfarma/valle.html. Acesso em: 18 abr. 2020.

VERRESCHI, Ieda Threzinha do Nascimento. "José Ribeiro do Valle e a Endocrinologia Paulista". *Arquivos Brasileiros de Endocrinologia e Metabologia*, São Paulo, v. 45, n. 2, mar./abr. 2001. Disponível em: https://www.scielo.br/scielo.php?pid=S0004-27302001000200013&script=sci_arttext. Acesso em: 18 abr. 2020.

Maurício Rocha e Silva

BRASIL. Ministério da Ciência, Tecnologia e Informações. "José Ribeiro do Valle". *Canal Ciência*, Brasília, [s.d.]. Disponível em: www.canalciencia.ibict.br/notaveis/271-mauricio-rocha-e-silva. Acesso em: 18 abr. 2020.

"CIÊNCIA no Brasil: 100 anos da Academia Brasileira de Ciências". Rio de Janeiro: Academia Brasileira de Ciências, 2017. Disponível em: www.abc.org.br/IMG/pdf/livro_abc_portugues_completo_versao_digital.pdf. Acesso em: 18 abr. 2020.

"GRANDES cientistas brasileiros: Maurício Oscar da Rocha e Silva". *Rede Globo*, Rio de Janeiro, 13 jun. 2009. 1 vídeo (25:58). Disponível em: http://redeglobo.globo.com/globocidadania/videos/v/grandes-cientistas-brasileiros-mauricio-oscar-da-rocha-e-silva/1498724. Acesso em: 18 abr. 2020.

MARCOLIN, Neldson; ZORZETTO, Ricardo. "Maurício da Rocha e Silva: o segredo da visibilidade". *Pesquisa Fapesp*, São Paulo, jan. 2012. Disponível em: https://revistapesquisa.fapesp.br/2012/01/16/mauricio-da-rocha-e-silva-o-segredo-da-visibilidade. Acesso em: 18 abr. 2020.

"MAURÍCIO Oscar da Rocha e Silva". *Biológico*, São Paulo, v. 69, n. 1, pp. 49-57, jan./jun. 2007. Disponível em: www.biologico.agricultura.sp.gov.br/uploads/docs/bio/v69_1/rocha_e_silva.pdf. Acesso em: 18 abr. 2020.

"MAURÍCIO Rocha e Silva". *John Simon Guggenhein Memorian Foundation*, Nova Iorque, 1939-40. Disponível em: gf.org/fellows/all-fellows/mauricio-rocha-e-silva/?fbclid=IwAR10Qx-mbvlOnFUoj4IGjI-aTh1ouzE755HJBRpVKGJoSr72iA2u95n1sSk. Acesso em: 18 abr. 2020.

"UM CIENTISTA, uma história: Maurício Rocha e Silva". *Canal Futura*, Rio de Janeiro, [s.d.]. 1 vídeo (5:16). Disponível em: https://www.youtube.com/watch?v=O84WUUILjSk. Acesso em: 18 abr. 2020.

Paulus Pompeia

"PAULUS Aulus Pompeia". *Associação dos Engenheiros do ITA* (AEITA), São José dos Campos, [s.d.]. Disponível em: www.aeitaonline.com.br/wiki/index.php?title=Paulus_Aulus_Pomp%C3%A9ia. Acesso em: 18 abr. 2020.

"PAULUS Aulus Pompeia". Universidade de São Paulo, Faculdade de Filosofia, Ciências e Letras, [s.d.]. Disponível em: http://acervo.if.usp.br/bio07. Acesso em: 18 abr. 2020.

"PERSONALIDADES IPT: Paulus Aulus". *Instituto de Pesquisas Tecnológicas*, São Paulo, [s.d.]. Disponível em: https://www.ipt.br/institucional/campanhas/28-personalidades_ipt___paulus_aulus.htm. Acesso em: 18 abr. 2020.

Graziela Barroso

BRASIL. Ministério da Ciência, Tecnologia e Informações. "Graziela Maciel Barroso". *Canal Ciência*, Brasília, [s.d.]. Disponível em: www.canalciencia.ibict.br/notaveis/257-graziela-maciel-barroso. Acesso em: 18 abr. 2020.

MODELLI, Laís. "De dona de casa a pioneira na botânica". *Deutsche Welle* (DW Brasil), Berlim, 11 fev. 2019. Disponível em: https://www.dw.com/pt-br/de-dona-de-casa-a-pioneira-na-bot%C3%A2nica/a-47462657. Acesso em: 18 abr. 2020.

"UM CIENTISTA, uma história: Graziela Braroso". *Canal Futura*, Rio de Janeiro, [s.d.]. 1 vídeo (5:04). Disponível em: https://www.youtube.com/watch?v=qkBPHCgLahQ&list=PL4_wpZsopCJJ-FDPoi8C59bdV0CyJqJ76&index=19. Acesso em: 18 abr. 2020.

Euryclides de Jesus Zerbini

BEGLIOMINI, Hélio. "Euryclides de Jesus Zerbini". *Academia de Medicina de São Paulo*, São Paulo, [s.d.]. Disponível em: https://www.academiamedicinasaopaulo.org.br/biografias/54/biografia-euryclides-de-jesus-zerbini.pdf. Acesso em: 18 abr. 2020.

"EURICLYDES de Jesus Zerbini". *Colégio Brasileiro de Cirurgiões*, São Paulo, [s.d.]. Disponível em: https://cbcsp.org.br/euryclides-de-jesus-zerbini-tcbc. Acesso em: 18 abr. 2020.

LIMA, Ricardo de Carvalho; WANDERLEY NETO, José. "Euryclides de Jesus Zerbini: 100 anos". *Revista Brasileira de Cirurgia Cardiovascular*, São José do Rio Preto, v. 27, n. 1, jan./mar. 2012. Disponível em: www.scielo.br/scielo.php?script=sci_arttext&pid=S0102-76382012000100022. Acesso em: 18 abr. 2020.

OLIVEIRA, Lúcia Helena de. "Dr. Zerbibi: o mago do coração". *Super Interessante*, São Paulo, 31 maio 1993. Disponível em: https://super.abril.com.br/saude/dr-zerbini-o-mago-do-coracao. Acesso em: 18 abr. 2020.

STOLF, Noedir Antônio Groppo; BRAILE, Domingo Marcolino. "Euryclides de Jesus Zerbini: uma biografia". *Revista Brasileira de Cirurgia Cardiovascular*, São José do Rio Preto, v. 27, n. 1, jan./mar. 2012. Disponível em: www.scielo.br/scielo.php?script=sci_arttext&pid=S0102-76382012000100020. Acesso em: 18 abr. 2020.

Fernando Lobo Carneiro

BRASIL. Ministério da Ciência, Tecnologia e Informações. "Fernando Lobo Carneiro". *Canal Ciência*, Brasília, [s.d.]. Disponível em: www.canalciencia.ibict.br/ciencia-brasileira-3/notaveis/288-fernando-lobo-carneiro. Acesso em: 18 abr. 2020.

"FERNANDO Lobo Carmeiro". *Wikipédia*. Disponível em: https://pt.wikipedia.org/wiki/Fernando_Lobo_Carneiro. Acesso em: 18 abr. 2020.

"FERNANDO Lobo Carneiro criou método para calcular com precisão resistência do concreto". *Portal da Indústria*, Brasília, [s.d.]. 1 vídeo (5:05). Disponível em: https://noticias.portaldaindustria.com.br/noticias/educacao/video-fernando-lobo-carneiro-criou-metodo-para-calcular-com-precisao-resistencia-do-concreto. Acesso em: 18 abr. 2020.

"LOBO Carneiro: um brasileiro". *Coppe UFRJ*, Rio de Janeiro, 19 nov. 2001. Disponível em: https://coppe.ufrj.br/pt-br/planeta-coppe-noticias/perfil/lobo-carneiro-um-brasileiro. Acesso em: 18 abr. 2020.

Marcelo Damy

ACADEMIA BRASILEIRA DE CIÊNCIAS. "18 cientistas brasileiros e suas contribuições". Rio de Janeiro: Academia Brasileira de Ciências, [s.d.]. Disponível em: www.abc.org.br/IMG/pdf/doc-6869.pdf. Acesso em: 18 abr. 2020.

BRASIL. Ministério da Ciência, Tecnologia e Informações. "Marcelo Damy". *Canal Ciência*, Brasília, [s.d.]. Disponível em: www.canalciencia.ibict.br/ciencia-brasileira-3/notaveis/296-marcelo-damy-de-s-santos. Acesso em: 18 abr. 2020.

"MARCELO Damy: revolução no ensino da física". *Estudos Avançados*, São Paulo, v. 8, n. 22, set./dez. 1994. Disponível em: https://www.scielo.br/scielo.php?script=sci_arttext&pid=S0103-40141994000300007. Acesso em: 18 abr. 2020.

MARCOLIN, Neldson. "Talento e energia: pioneiro da física experimental do Brasil, Marcelo Damy instalou o primeiro reator nuclear no país". *Pesquisa Fapesp*, São Paulo, jan. 2010. Disponível em: https://revistapesquisa.fapesp.br/2010/01/19/talento-e-energia/. Acesso em: 18 abr. 2020.

REYNOL, Fábio. "Morre o físico Marcelo Damy". *Agência Fapesp*, São Paulo, 1 dez. 2009. Disponível em: http://agencia.fapesp.br/morre-o-fisico-marcelo-damy/11430/. Acesso em: 23 fev. 2021.

"SONAR detector de submarinos". *Associação Nacional dos Inventores*, São Paulo, [s.d.]. Disponível em: www.invencoesbrasileiras.com.br/sonar-detector-de-submarinos. Acesso em: 18 abr. 2020.

Mário Schenberg

BEECH, Martin. "The Schönberg-Chandrasekhar limit: a polytropic approximation". *Astrophysics and Space Science*, [S.l.], n. 147, pp. 219-227, 1988. Disponível em: https://link.springer.com/article/10.1007%2FBF00645666. Acesso em: 18 abr. 2020.

BUGIERMAN, Denis Russo. "O outro lado do Nobel". *Super Interessante*, São Paulo, 30 nov. 2001. Disponível em: https://super.abril.com.br/cultura/o-outro-lado-do-nobel. Acesso em: 18 abr. 2020.

"E-BOOK 100 anos da ABC: convidados especiais". *Academia Brasileira de Ciências*, Rio de Janeiro, [s.d.]. Disponível em: http://ebook100.abc.org.br/11-mario_schenberg_2.html. Acesso em: 18 abr. 2020.

LEÃO, Izabel. "Arte e ciência: seminário destaca o legado de Mário Schenberg". Universidade de São Paulo, São Paulo, 28 maio 2014. Disponível em: https://www5.usp.br/44012/arte-e-ciencia-seminario-destaca-o-legado-de-mario-schenberg/. Acesso em: 18 abr. 2020.

"O ARTIGO 123 da Constituição de 1947". *Biblioteca Virtual da Fapesp*. Disponível em: https://bv.fapesp.br/linha-do-tempo/212/artigo-123-constituicao-1947. Acesso em: 23 fev. 2021.

SCHENBERG, Mário. "Formação da mentalidade científica". *Estudos Avançados*, São Paulo, v. 12, n. 5, 1991. Disponível em: https://www.scielo.br/pdf/ea/v5n12/v5n12a08.pdf. Acesso em: 18 abr. 2020.

"SCHÖNBERG-Chandrasekhar limit". *David Darling*, Escócia, [s.d.]. Disponível em: www.daviddarling.info/encyclopedia/S/Schonberg-Chandrasekhar_limit.html. Acesso em: 18 abr. 2020.

"URCA Process". *David Darling*, Escócia, [s.d.]. Disponível em: https://www.daviddarling.info/encyclopedia/U/Urca_process.html. Acesso em: 18 abr. 2020.

Aristides Leão

"ARISTIDES Leão". *Wikipédia*. Disponível em: https://en.wikipedia.org/wiki/Aristides_Le%C3%A3o. Acesso em: 18 abr. 2020.

BRASIL. Ministério da Ciência, Tecnologia e Informações. "Aristides Leão". *Canal Ciência*, Brasília, [s.d.]. Disponível em: www.canalciencia.ibict.br/ciencia-brasileira-3/notaveis/91-aristides-leao. Acesso em: 18 abr. 2020.

ENGELHARDT, Eliasz; GOMES, Marleide da Mota. "Aristides Leão: homenagem ao centenário de nascimento com comentários sobre sua depressão alastrante". *Arquivos de Neuro-Psiquiatria*, São Paulo, v. 73, n. 6, jun. 2015. Disponível em: www.scielo.br/scielo.php?script=sci_arttext&pid=S0004-282X2015000600544. Acesso em: 18 abr. 2020.

GOÉS FILHO, Paulo de. "O Brasil no microscópio: Instituto de Biofísica Carlos Chagas Filho e um jeito brasileiro de fazer pesquisa". Rio de Janeiro: IUPERJ, 2012. Disponível em: https://www.academia.edu/6571768/Livro_Biof%C3%ADsica. Acesso em: 18 abr. 2020.

LAURITZEN, Martin; STRONG, Anthony J. "'Spreading depression of Leão' and its emerging relevance to acurate brain injury in humans". *Journal of Cerebral Blood Flow and Metabolism*, The U.S.A, v. 37, n. 5, maio 2017. Disponível em: https://www.ncbi.nlm.nih.gov/pmc/articles/PMC5435290. Acesso em: 18 abr. 2020.

POLITO, Rodrigo. "Na onda de Aristides Leão: pesquisador é conhecido por ter descrito importante fenômeno neurofisiológico". *Instituto Ciência Hoje*, Rio de Janeiro, jan. 2003. Disponível em: https://web.archive.org/web/20060520115922/http://cienciahoje.uol.com.br/view/730. Acesso em: 18 abr. 2020.

"PROGRAMA Aristides Pacheco Leão de estímulo a vocações científicas". *Academia Brasileira de Ciências*, Rio de Janeiro, [s.d.]. Disponível em: www.abc.org.br/atuacao/nacional/programas-cientificos-nacionais/programa-aristides-pacheco-leao. Acesso em: 18 abr. 2020.

Leônidas Deane e Maria Deane

BRASIL. Ministério da Ciência, Tecnologia e Informações. "Leônidas e Maria Deane". *Canal Ciência*, Brasília, [s.d.].

Disponível em: www.canalciencia.ibict.br/notaveis/267-leonidas-e-maria-deane. Acesso em: 18 abr. 2020.

FERREIRA, Luiz Fernando; ARAÚJO, Adauto. "Leônidas de Mello Deane: 1914-1993". *Ciência e Sociedade*, Rio de Janeiro, v. 2, n. 1, 2014. Disponível em: http://revistas.cbpf.br/index.php/CS/article/download/77/60. Acesso em: 18 abr. 2020.

"LEÔNIDAS Deane: aventuras na pesquisa". *História, Ciência, Saúde-Manguinhos*, Rio de Janeiro, v. 1, n. 1, jul./out. 1994. Disponível em: https://www.scielo.br/scielo.php?script=sci_arttext&pid=S0104-59701994000100016. Acesso em: 18 abr. 2020.

LEVY, Bel. "Especial sobre a cientista Maria Deane: uma mulher à frente de seu tempo". *Fundação Oswaldo Cruz*, Rio de Janeiro, 22 jul. 2008. Disponível em: https://agencia.fiocruz.br/especial-sobre-a-cientista-maria-deane-uma-mulher-%C3%A0-frente-do-seu-tempo. Acesso em: 18 abr. 2020.

MELO, Hildete Pereira de; RODRIGUES, Lígia Maria Coelho de Souza. "Maria José Von Paumgartten Deane 1917-1995". *Portal CNPq*, Brasília, [s.d.]. Disponível em: https://web.archive.org/web/20150923222252/www.cnpq.br/web/guest/pioneiras-view/-/journal_content/56_INSTANCE_a6MO/10157/902891. Acesso em: 18 abr. 2020.

Veridiana Victoria Rossetti

BARBOSA, Cristiane de Jesus; RODRIGUES, Almir Santos. "Tristeza dos citrus". *Revista Brasileira de Fruticultura*, Jaboticabal, v. 36, n. 3, jul./set. 2014. Disponível em: https://www.scielo.br/scielo.php?script=sci_arttext&pid=S0100-29452014000300001. Acesso em: 18 abr. 2020.

TREIGHER, Thamiris. "Conheça a história da engenheira agrônoma Victoria Rossetti, uma das maiores autoridades em Fitopatologia do Brasil". Inbec, 18 out. 2018. Disponível em: https://inbec.com.br/blog/conheca-historia-engenheira-agronoma-victoria-rossetti-uma-maiores-autoridades-fitopatologia-brasil. Acesso em: 23 fev. 2021.

"VERIDIANA Victoria Rossetti". *Academia Brasileira de Ciências*, Rio de Janeiro, [s.d.]. Disponível em: https://web.archive.org/web/20140424205341/www.abc.org.br/~VROSSETTI. Acesso em: 18 abr. 2020.

"VERIDIANA Victoria Rossetti". "Personalidades da fruticultura brasileira". *Sociedade Brasileira de Fruticultura*, Rio de Janeiro, [s.d.]. Disponível em: http://fruticultura.org/personalidades/57-veridiana-victoria-rossetti. Acesso em: 18 abr. 2020.

"VICTÓRIA Rossetti morre aos 93 anos". *Agencia Fapesp*, São Paulo, 28 dez. 2010. Disponível em: http://agencia.fapesp.br/victoria-rossetti-morre-aos-93-anos/13243/. Acesso em: 23 fev. 2021.

Maria Laura Mouzinho Leite Lopes

FERNANDEZ, Cecília de Souza. "A vida de Maria Laura Mouzinho Leite Lopes". *Mulheres na matemática*, Universidade Federal Fluminense, Rio de Janeiro, [s.d.]. Disponível em: http://mulheresnamatematica.sites.uff.br/wp-content/uploads/sites/237/2018/07/A-Vida-de-Maria-Laura-Mouzinho-Leite-Lopes-1.pdf. Acesso em: 18 abr. 2020.

"MARIA Laura Mouzinho Leite Lopes". *Academia Brasileira de Ciências*, Rio de Janeiro, [s.d.]. Disponível em: www.abc.org.br/membro/maria-laura-mouzinho-leite-lopes. Acesso em: 18 abr. 2020.

"MARIA Laura Mouzinho Leite Lopes". *Wikipédia*. Disponível em: https://pt.wikipedia.org/wiki/Maria_Laura_Moura_Mouzinho_Leite_Lopes. Acesso em: 18 abr. 2020.

NASCIMENTO, João Batista do. "Maria Laura Mouzinho Leites Lopes: uma das primeiras doutoras em matemática e educadora que se projeta por dentro de nossa realidade mais dura". Disponível em: https://encontrodejovenscientistas.files.wordpress.com/2015/01/laura-mouzinho-versc3a3o-out-14.pdf. Acesso em: 18 abr. 2020.

PEREIRA, Pedro Carlos. "A educadora Maria Laura: contribuições para a educação matemática no Brasil". São Paulo: PUC-SP, 2010. Disponível em: http://livros01.livrosgratis.com.br/cp144925.pdf. Acesso em: 18 abr. 2020.

_____. "Um elo perfeito: Maria Laura Mouzinho Leite Lopes e a educação matemática". *Revista Científica General José María Córdova*, Bogotá, v. 13, n. 15, jan./jun. 2015. Disponível em: www.scielo.org.co/scielo.php?script=sci_arttext&pid=S1900-65862015000100016. Acesso em: 18 abr. 2020.

"PROJETO Fundão". *Instituto de Matemática*, Universidade Federal do Rio de Janeiro, Rio de Janeiro, [s.d.]. Disponível em: www.im.ufrj.br/index.php/pt/extensao/projetos-e-parcerias/270-o-projeto-fundao. Acesso em: 18 abr. 2020.

José Leite Lopes

BRASIL. Ministério da Ciência, Tecnologia e Informações. *Canal Ciência*, Brasília, [s.d.]. Disponível em: www.canalciencia.ibict.br/ciencia-brasileira-3/notaveis/292-jose-leite-lopes. Acesso em: 18 abr. 2020.

CARUSO, Francisco. "José Leite Lopes". *Pion ligado na física*, São paulo, [s.d.]. Disponível em: www.sbfisica.org.br/v1/portalpion/index.php/fisicos-do-brasil/71-jose-leite-lopes. Acesso em: 18 abr. 2020.

"JOSÉ Leite Lopes". *Brasiliana: a divulgação científica no Brasil*, Fundação Oswaldo Cruz, Rio de Janeiro, [s.d.]. Disponível em: www.fiocruz.br/brasiliana/cgi/cgilua.exe/sys/start.htm?infoid=96&sid=31. Acesso em: 18 abr. 2020.

"JOSÉ Leite Lopes (198-2006)". *Sociedade Brasileira para o Progresso da Ciência*, São Paulo, [s.d.]. Disponível em: http://portal.sbpcnet.org.br/presidentes-de-honra/jose-leite-lopes-1918-2006. Acesso em: 18 abr. 2020.

MOURA, Mariluce. "José Leite Lopes: um físico a toda prova". *Pesquisa Fapesp*, São Paulo, nov. 2000. Disponível em: https://revistapesquisa.fapesp.br/2000/11/01/um-fisico-a-toda-prova. Acesso em: 18 abr. 2020.

PETITJEAN, P.; Jami, C.; MOULIN, A. M. *Science and Empires: Historical Studies about Scientific Development and European Expansion*. Países Baixos: Springer, 1992.

Carlos Ribeiro Diniz

BRASIL. Ministério da Ciência, Tecnologia e Informações. "Carlos Ribeiro Diniz". *Canal Ciência*, Brasília, [s.d.]. Disponível em: www.canalciencia.ibict.br/notaveis/121-carlos-ribeiro-diniz. Acesso em: 18 abr. 2020.

"CARLOS Ribeiro Diniz". *Academia Brasileira de Ciências*, Rio de Janeiro, [s.d.]. Disponível em: www.abc.org.br/membro/carlos-ribeiro-diniz. Acesso em: 18 abr. 2020.

"CENTENÁRIO de Carlos Ribeiro Diniz". *Fundação Ezequiel Dias* (Funed), Belo Horizonte, [s.d.]. Disponível em: www.funed.mg.gov.br/2019/02/destaque/centenario-de-carlos-ribeiro-diniz. Acesso em: 18 abr. 2020.

GARCIA, Maria Elena de Lima Perez. "Carlos Diniz: o iluminado". *Boletim*, UFMG, Minas Gerais, ano 28, n. 1.358, 18 jul. 2002. Disponível em: https://www.ufmg.br/boletim/bol1358/segunda.shtml. Acesso em: 18 abr. 2020.

Crodowaldo Pavan

"CIÊNCIA no Brasil: 100 anos da Academia Brasileira de Ciências". Rio de Janeiro: Academia Brasileira de Ciências, 2017. Disponível em: www.abc.org.br/IMG/pdf/livro_abc_portugues_completo_versao_digital.pdf. Acesso em: 18 abr. 2020.

"CRODOWALDO Pavan". *Wikipédia*. Disponível em: https://pt.wikipedia.org/wiki/Crodowaldo_Pavan. Acesso em: 18 abr. 2020.

"VÍDEO: Crodowaldo Pavan foi referência em pesquisas com DNA". *Portal da Indústria*, Brasília, [s.d.]. 1 vídeo (5:11). Disponível em: https://noticias.portaldaindustria.com.br/noticias/educacao/video-crodowaldo-pavan-foi-referencia-em-pesquisas-com-dna. Acesso em: 18 abr. 2020.

Marta Vannucci

"A MULHER que navegou os 'mares do mundo': Marta Vannucci". *Instituto Oceanográfico*, Universidade de São Paulo, São Paulo, mar. 2015. Disponível em: www.io.usp.br/index.php/noticias/10-io-na-midia/716-a-mulher-que-navegou-nos-mares-do-mundo-marta-vannucci.html. Acesso em: 18 abr. 2020.

ANDRADE, Rodrigo de Oliveira. "Pesquisadores do mar: Instituto Oceanográfico começou a consolidar as ciências oceânicas no Brasil na década de 1940". *Pesquisa Fapesp*, São Paulo, jul. 2017. Disponível em: https://revistapesquisa.fapesp.br/2017/07/18/pesquisadores-do-mar. Acesso em: 18 abr. 2020.

VARELA, Alex Gonçalves. "Os estudos da cientista Marta Vannucci sobre o plâncton no Instituto Oceanográfico da Universidade de São Paulo (1946-1969)". *Scientiarum Historia VII: Revista de História das Ciências e das Técnicas e Epistemologia*, Universidade Federal do Rio de Janeiro, Rio de Janeiro, v. 1, 2014. Disponível em: www.hcte.ufrj.br/downloads/sh/sh7/SH/trabalhos%20orais%20completos/OS-ESTUDOS-DA-CIENTISTA-MARTHA-VANNUCCI.pdf. Acesso em: 18 abr. 2020.

_____. "Uma dádiva das marés: os estudos sobre manguezais da cientista Marta Vannucci em sua trajetória internacional - 1969-1989". *História, Ciência, Saúde-Manguinhos*, Rio de Janeiro, v. 27, n.1, jan./mar. 2020. Disponível em: https://www.scielo.br/scielo.php?pid=S0104-59702020000100115&script=sci_arttext. Acesso em: 18 abr. 2020.

Warwick Kerr

BALAKRISHNAN, Vijay Shankar. "Celebrated Brazilian Bee Scientist Kerr Warwick dies". *The Scientist*, The U.S.A, out. 2018. Disponível em: https://www.the-scientist.com/news-opinion/celebrated-brazilian-bee-scientist-warwick-kerr-dies-64886. Acesso em: 18 abr. 2020.

BRASIL. Ministério da Ciência, Tecnologia e Informações. *Canal Ciência*, Brasília, [s.d.]. Disponível em: www.canalciencia.ibict.br/ciencia-brasileira-3/notaveis/278-warwick-estevam-kerr#entrevista-concedida-a-regis-farr-jornalista. Acesso em: 25 fev. 2021.

MIKSHA, Ron. "Dr. Warwick Kerr, 'the man who created killer bees', has died". *The Bad Beekeeping Blog*, Canada, 15 Set. 2018. Disponível em: https://badbeekeepingblog.com/2018/09/15/dr-warwick-kerr-the-man-who-created-killer-bees-has-died. Acesso em: 18 abr. 2020.

"QUEM foi Warwick Estevam Kerr?". *Minas faz Ciência*, Belo Horizonte, 18 set. 2018. Disponível em: http://minasfazciencia.com.br/2018/09/18/quem-foi-warwick-estevam-kerr. Acesso em: 18 abr. 2020.

"WARWICK Estevam Kerr". *Academia Brasileira de Ciências*, Rio de Janeiro, [s.d.]. Disponível em: www.abc.org.br/membro/warwick-estevam-kerr. Acesso em: 18 abr. 2020.

"WARWICK Estevam Kerr". *Instituto de Biotecnologia*, Universidade Federal de Uberlândia, Uberlândia 15 out. 2019. Disponível em: www.ibtec.ufu.br/pessoas/aposentadoas/warwick-estevam-kerr. Acesso em: 18 abr. 2020.

"WARWICK Estevam Kerr". *Wikipédia*. Disponível em: https://pt.wikipedia.org/wiki/Warwick_Kerr. Acesso em: 18 abr. 2020.

Carolina Martuscelli Bori

BORGES, Mariza Monteiro. "Carolina Martuscelli Bori e a UNB". *Psicologia USP*, São Paulo, v. 9, n. 1, 1998. Disponível em: www.scielo.br/scielo.php?script=sci_arttext&pid=S0103-65641998000100015. Acesso em: 18 abr. 2020.

BRASIL. Ministério da Ciência, Tecnologia e Informações. "Carolina Martuscelli Bori". *Canal Ciência*, Brasília, [s.d.]. Disponível em: www.canalciencia.ibict.br/notaveis/310-carolina-martuscelli-bori. Acesso em: 18 abr. 2020.

CÂNDIDO, Gabriel Vieira. *O desenvolvimento de uma cultura científica no no Brasil: contribuições de Carolina Martuscelli Bori*. Ribeirão Preto: Faculdade de Filosofia, Ciências e Letras de Ribeirão Preto, 2014. 347 pp. Tese (Doutorado em Psicologia). Disponível em: www.teses.usp.br/teses/disponiveis/59/59137/tde-28102014-093710/. Acesso em: 18 abr. 2020.

"CAROLINA Martuscelli Bori". *Instituto de Psicologia*, Universidade de São Paulo, São Paulo, [s.d.]. Disponível em: www.ip.usp.br/site/carolina-martuscelli-bori. Acesso em: 18 abr. 2020.

MATOS, Maria Amelia; CARVALHO, Ana Maria Almeida. "Carolina Martscelli: uma cientista brasileira". *Psicologia: reflexão e crítica*, Porto Alegre, v. 11, n. 2, 1998. Disponível em: www.scielo.br/scielo.php?script=sci_artext&pid=S0102-79721998000200016. Acesso em: 18 abr. 2020.

MENEZES, Raquel. "Um pouco de Psicologia Experimental". *Educação Pública*, Fundação Cecierj, Rio de Janeiro, 7 abr. 2009. Disponível em: https://educacaopublica.cecierj.edu.br/artigos/9/12/um-pouco-de-psicologia-experimental. Acesso em: 18 abr. 2020.

TODOROV, João Cláudio. "Notícia: Carolina Martuscelli Bori, analista do comportamento, pesquisadora". *Psicologia: Teoria e Pesquisa*, Brasília, v. 20, n. 3, set./dez. 2004. Disponível em: www.scielo.br/scielo.php?script=sci_arttext&pid=S0102-37722004000300012. Acesso em: 18 abr. 2020.

César Lattes

BRASIL. Ministério da Ciência, Tecnologia e Informações. "César Lattes". *Canal Ciência*, Brasília, 4 out. 2019. Disponível em: www.canalciencia.ibict.br/nossas-informacoes/ciencioteca/personalidades/item/318-cesar-lattes-vida-obra-e-descobertas. Acesso em: 18 abr. 2020.

"CÉSAR Lattes". *Wikipédia*. Disponível em: https://pt.wikipedia.org/wiki/C%C3%A9sar_Lattes. Acesso em: 18 abr. 2020.

"GLOBALIZAR quem, cara-pálida?". *Jornal da Unicamp*, Campinas, ago. 2001. Disponível em: https://www.unicamp.br/unicamp_hoje/jornalPDF/ju165.pdf. Acesso em: 18 abr. 2020.

LOPES, José Leite. "Novos horizontes para a física atômica: a importância dos trabalhos do cientista brasileiro César Lattes". *Ciência para todos*: suplemento de divulgação científica de "a manhã", Rio de Janeiro, ano 1, n. 1, 28 mar. 1948. Disponível em: http://memoria.bn.br/DOCREADER/DOCREADER.ASPX?BIB=085782. Acesso em: 18 abr. 2020.

"PRÊMIO Nobel: foi quase". *Super Interessante*, São Paulo, 31 out. 2016. Disponível em: https://super.abril.com.br/ciencia/premio-nobel-foi-quase. Acesso em: 18 abr. 2020.

SANTANA, Caio. "César Lattes: o brasileiro cuja descoberta foi premiada com Nobel". *Jornal do Campus*, São Paulo, 29 out. 2019. Disponível em: www.jornaldocampus.usp.br/index.php/2019/10/cesar-lattes-o-brasileiro-cuja-descoberta-foi-premiada-com-o-nobel. Acesso em: 18 abr. 2020.

Aziz Ab'Saber

"AZIZ Ab'Saber: entrevista". *Drauzio*, São Paulo, 17 mar. 2012. Disponível em: https://drauziovarella.uol.com.br/entrevistas-2/aziz-ab-saber-entrevista. Acesso em: 18 abr. 2020.

DOURADO, Flávia. "Aziz Ab'Saber: geógrafo e ambientalista". Instituto de Estudos Avançados da Universidade de São Paulo, São Paulo, 17 mar. 2012. Disponível em: www.iea.usp.br/noticias/azizabsaber.html. Acesso em: 18 abr. 2020.

GOBBI, Leonardo Delfim. "Domínios morfoclimáticos". Disponível em: http://educacao.globo.com/geografia/assunto/geografia-fisica/dominios-morfoclimaticos.html. Acesso em: 18 abr. 2020.

SILVA, Thamires Olimpia. "AZIZ Ab'Saber". *Brasil Escola*. Disponível em: https://brasilescola.uol.com.br/geografia/aziz-absaber.htm. Acesso em: 18 abr. 2020.

"UM CIENTISTA, uma história: Aziz Ab' Saber". *Canal Futura*, Rio de Janeiro, [s.d.]. 1 vídeo (5:02). Disponível em: https://www.youtube.com/watch?v=rYdpMC4KneY. Acesso em: 18 abr. 2020.

Johanna Döbereiner

"A PESQUISA que revolucionou a agricultura". *Scientific American Brasil*. Disponível em: https://sciam.com.br/a-pesquisa-que-revolucionou-a-agricultura/. Acesso em: 9 fev. 2021.

COELHO, Marco Antonio. "O legado de Johanna Döbereiner". *Pesquisa Fapesp*, São Paulo, ed. 58, out. 2000. Disponível em: http://revistapesquisa.fapesp.br/2000/10/01/o-legado-de-johanna-dobereiner. Acesso em: 9 fev. 2021.

EMBRAPA. "Johanna Döbereiner: a cientista que revolucionou a agricultura". Disponível em: https://www.embrapa.br/johanna-dobereiner/quem-foi. Acesso em: 9 fev. 2021.

JUNIOR, Ferraz. "Brasil ultrapassa EUA na liderança da produção mundial de soja". *Jornal da USP*, São Paulo, 28 fev. 2018. Disponível em: https://jornal.usp.br/atualidades/brasil-ultrapassa-eua-na-lideranca-da-producao-mundial-de-soja. Acesso em: 9 fev. 2021.

SOCIEDADE Brasileira de Ciência do Solo. "Johanna Döbereiner". Disponível em: https://www.sbcs.org.br/a-sbcs/socios-honorarios/johanna_dobereiner/. Acesso em: 9 fev. 2021.

Sérgio Pereira da Silva Porto

ANDRADE, Rodrigo de Oliveira. "O físico que olhava as luzes". *Pesquisa Fapesp*, São Paulo, ed. 280, jun. 2019. Disponível em: https://revistapesquisa.fapesp.br/2019/06/07/o-fisico-que-olhava-as-luzes. Acesso em: 9 fev. 2021.

CENTRO DE LÓGICA, EPISTEMOLOGIA E HISTÓRIA DA CIÊNCIA. "Sérgio Pereira da Silva Porto". Disponível em: https://www.cle.unicamp.br/index.php/content/s%C3%A9rgio-pereira-da-silva-porto. Acesso em: 9 fev. 2021.

SANTANA, Walker Antonio Lins de; JUNIOR, Olival Freire. "Contribuição do físico brasileiro Sergio Porto para as aplicações de laser e sua introdução no Brasil". *Revista Brasileira de Ensino de Física*, São Paulo, v. 32, n. 3, jul./set. 2010. Disponível em: https://www.scielo.br/scielo.php?script=sci_arttext&pid=S1806-11172010000300015. Acesso em: 9 fev. 2021.

Silvia Lane

ABEP (Associação Brasileira de Ensino de Psicologia). "Prêmio". Disponível em: http://abepsi.org.br/premiosilvialane. Acesso em: 9 fev. 2021.

AZEVEDO, Tiago. "Psicologia comunitária: o que é, o que estuda e o que faz". *Psicoativo*, 31 jul. 2016. Disponível em: https://psicoativo.com/2016/07/psicologia-comunitaria-o-que-e-o-que-estuda-e-o-que-faz.html. Acesso em: 9 fev. 2021.

CONSELHO FEDERAL DE PSICOLOGIA. "Psicologia perde Silvia Lane". Disponível em: https://site.cfp.org.br/psicologia-perde-silvia-lane. Acesso em: 9 fev. 2021.

SAWAIA, B.B et al. "Diálogos: uma psicologia para transformar a sociedade". *PSI - Jornal de Psicologia*, São Paulo, maio/jun. 2000. Disponível em: http://abrapso.org.br/siteprincipal/images/Documentos/entrevistas.pdf. Acesso em: 9 fev. 2021.

"SILVIA LANE". *Psicologia: Ciência e Profissão*, Brasília, v. 23, n. 1, mar. 2003. Disponível em: https://www.scielo.br/scielo.php?script=sci_arttext&pid=S1414-98932003000100014. Acesso em: 9 fev. 2021.

SOUSA, Esther Alves de. "Silvia Lane: uma contribuição aos estudos sobre a Psicologia Social no Brasil". *Temas em Psicologia*, Ribeirão Preto, v. 17, n. 1, 2009. Disponível em: http://pepsic.bvsalud.org/scielo.php?script=sci_arttext&pid=S1413-389X2009000100018. Acesso em: 9 fev. 2021.

VLOG PSI. "Silvia Lane - Estilo em movimento - 01". *YouTube*. Disponível em: https://www.youtube.com/watch?v=csFfQhRsvzs. Acesso em: 9 fev. 2021.

Sérgio Henrique Ferreira

COSTA, Vera Rita da. "Opostos e complementares". *Ciência Hoje*, Rio de Janeiro, v. 52, n. 312. Disponível em: https://aprender.ead.unb.br/pluginfile.php/53590/mod_resource/content/1/perfil312.pdf. Acesso em: 9 fev. 2021.

GOIS, Antônio; BONALUME NETO, Ricardo. "Cientista critica política de presidenciáveis". *Folha de S.Paulo*, São Paulo, 15 jul. 2002. Disponível em: https://www1.folha.uol.com.br/fsp/ciencia/fe1507200201.htm. Acesso em: 9 fev. 2021.

GUERRERO, Cesar. "Cobra na ciência". *Terra*, 5 ago. 2002. Disponível em: https://www.terra.com.br/istoegente/157/reportagens/sergio_henrique_ferreira.htm. Acesso em: 9 fev. 2021.

MEMÓRIAS E HISTÓRIA DA EDUCAÇÃO PROFISSIONAL E TECNOLÓGICA. "História oral na educação: memórias do trabalho docente". Disponível em: www.memorias.cpscetec.com.br/historiaoraldocVer.php?cma=65&vol=4. Acesso em: 9 fev. 2021.

"SÉRGIO Henrique Ferreira". *Academia Brasileira de Ciências*, Rio de Janeiro, [s.d.]. Disponível em: www.abc.org.br/membro/sergio-henrique-ferreira. Acesso em: 9 fev. 2021.

Rosa Ester Rossini

ROSSINI, Rosa Ester. "Memorial". São Paulo: FFLCH-USP, 2013. Disponível em: https://www.fflch.usp.br/sites/fflch.usp.br/files/2017-11/Rosa_Ester_Rossini.pdf. Acesso em: 9 fev. 2021.

_____. "Do passado ao presente: o papel da mulher na construção de uma Geografia brasileira". *Revista Eletrônica de Geografia*, São Paulo, v. 4, n. 11, 2012, pp. 149-160. Disponível em: www.observatorium.ig.ufu.br/pdfs/4edicao/n11/10.pdf. Acesso em: 9 fev. 2021.

Mayana Zatz

ANVISA. "Palestrante". Disponível em: http://antigo.anvisa.gov.br/mayana-zatz. Acesso em: 9 fev. 2021.

CENTRO DE PESQUISA SOBRE O GENOMA HUMANO E CÉLULAS-TRONCO. "Dra. Mayana Zatz". Disponível em: https://genoma.ib.usp.br/pt-br/pesquisa/pesquisadores/dra-mayana-zatz. Acesso em: 9 fev. 2021.

INSTITUTO DE PESQUISA EM CÉLULAS-TRONCO. "Mayana Zatz". Disponível em: http://celulastroncors.org.br/mayana-zatz. Acesso em: 9 fev. 2021.

Helena Nader

ALISSON, Elton. "Medicamento anticoagulante reduz em 70% a infecção de células pelo novo coronavírus". *Agência Fapesp*, São Paulo, 11 maio 2020. Disponível em: http://agencia.fapesp.br/medicamento-anticoagulante-reduz-em-70-a-infeccao-de-celulas-pelo-novo-coronavirus/33125/. Acesso em: 9 fev. 2021.

"HELENA Bonciani Nader". *Academia Brasileira de Ciências*, Rio de Janeiro, [s.d.] Disponível em: www.abc.org.br/membro/helena-bonciani-nader. Acesso em: 9 fev. 2021.

"HELENA Bonciani Nader". *Biblioteca Virtual da Fapesp*. Disponível em: https://bv.fapesp.br/pt/pesquisador/8127/helena-bonciani-nader. Acesso em: 9 fev. 2021.

LOPES, Larissa. "Precisamos de uma educação em que meninas e meninos possam fazer qualquer atividade". *Revista Galileu*, São Paulo, 11 fev. 2020. Disponível em: https://revistagalileu.globo.com/Ciencia/noticia/2020/02/precisamos-de-uma-educacao-em-que-meninas-e-meninos-possam-fazer-qualquer-atividade.html. Acesso em: 9 fev. 2021.

LOPES, Noêmia. "Como divulgar a ciência em tempos difíceis". *Agência Fapesp*, São Paulo, 6 out. 2017. Disponível em: http://agencia.fapesp.br/como-divulgar-a-ciencia-em-tempos-dificeis/26348/. Acesso em: 9 fev. 2021.

SOCIEDADE BRASILEIRA PARA O PROGRESSO DA CIÊNCIA. "Helena Bonciani Nader (1947)". Disponível em: http://portal.sbpcnet.org.br/a-sbpc/historico/presidentes-de-honra/helena-bonciani-nader-1947. Acesso em: 9 fev. 2021.

TOLEDO, Karina. "Covid-19 deve ser tratada como uma doença trombótica, afirma médica brasileira". *Agência Fapesp*, São Paulo, 15 maio 2020. Disponível em: http://agencia.fapesp.br/covid-19-deve-ser-tratada-como-uma-doenca-trombotica-afirma-medica-brasileira/33175. Acesso em: 9 fev. 2021.

UNIVERSIDADE FEDERAL DE MINAS GERAIS. "'Educação, ciência e tecnologia não são gastos, são investimentos', afirma presidente da SBPC". Belo Horizonte, 18 out. 2016. Disponível em: https://ufmg.br/comunicacao/noticias/educacao-ciencia-e-tecnologia-nao-sao-gastos-sao-investimentos-afirma-presidente-da-sbpc. Acesso em: 9 fev. 2021.

UNIVERSIDADE FEDERAL DE SÃO PAULO. "Helena Nader". Disponível em: https://www.unifesp.br/edicao-atual-entreteses/item/1655-helena-nader. Acesso em: 9 fev. 2021.

Carlos Augusto Monteiro

ALVES, Gabriel. "Alimentos industrializados estão acabando com culturais locais, diz médico". *Folha de S.Paulo*, São Paulo, 3 maio 2019. Disponível em: https://www1.folha.uol.com.br/equilibrioesaude/2019/05/alimentos-industrializados-estao-acabando-com-culturais-locais-diz-medico.shtml. Acesso em: 9 fev. 2021.

BRASIL. Ministério da Saúde. "Vigitel Brasil 2018: vigilância de fatores de risco e proteção para doenças crônicas por inquérito telefônico". Brasília, 2019. Disponível em: https://portalarquivos2.saude.gov.br/images/pdf/2019/julho/25/vigitel-brasil-2018.pdf. Acesso em: 9 fev. 2021.

"CARLOS Augusto Monteiro". *Currículo Lattes*. Brasília, última atualização em 5 dez. 2019. Disponível em: http://buscatextual.cnpq.br/buscatextual/visualizacv.do?id=K4787176Z6. Acesso em: 9 fev. 2021.

"CARLOS Augusto Monteiro". *Academia Brasileira de Ciências*, Rio de Janeiro, [s.d.]. Disponível em: www.abc.org.br/membro/carlos-augusto-monteiro. Acesso em: 9 fev. 2021.

LOBO, Rita. "Cozinha prática: alimentação saudável com Carlos Augusto Monteiro". *Panelinha*, 13 jan. 2016. Disponível em: https://www.panelinha.com.br/blog/ritalobo/Cozinha-Pratica-alimentacao-saudavel-com-Carlos-Augusto-Monteiro. Acesso em: 9 fev. 2021.

MONTEIRO, Carlos Augusto. "Vigitel: resultados de uma década em nível nacional e a iniciativa do estado de São Paulo". *Nupens-usp*, São Paulo, 28 ago. 2017. Disponível em: www.saude.sp.gov.br/resources/cve-centro-de-vigilancia-epidemiologica/areas-de-vigilancia/doencas-cronicas-nao-transmissiveis/observatorio-promocao-a-saude/eventos/vigitel_ses.pdf. Acesso em: 9 fev. 2021.

"THE NOVA FOOD CLASSIFICATION SYSTEM". Disponível em: https://educhange.com/wp-content/uploads/2018/09/NOVA-Classification-Reference-Sheet.pdf. Acesso em: 9 fev. 2021.

UNIVERSIDADE DE SÃO PAULO. "FSP participa da elaboração do Guia Alimentar para a População Brasileira". São Paulo, 6 nov. 2014. Disponível em: https://www5.usp.br/68805/fsp-participa-da-elaboracao-do-guia-alimentar-para-a-populacao-brasileira. Acesso em: 9 fev. 2021.

César Gomes Victora

"CESAR Gomes Victora". *Academia Brasileira de Ciências*, Rio de Janeiro, [s.d.]. Disponível em: www.abc.org.br/membro/cesar-gomes-victora. Acesso em: 9 fev. 2021.

"CESAR Gomes Victora". *Currículo Lattes*. Brasília, última atualização em 10 fev. 2021. Disponível em: http://lattes.cnpq.br/3122260822717094. Acesso em: 9 fev. 2021.

"DR. CESAR Gomes Victora recebe o Prêmio Hospitalar - Personalidade do Ano na Área da Saúde". *Portal Hospitais Brasil*, São Paulo, 29 maio 2018. Disponível em: https://portalhospitaisbrasil.com.br/dr-cesar-gomes-victora-recebe-o-premio-hospitalar-personalidade-do-ano-na-area-da-saude. Acesso em: 9 fev. 2021.

JUSTINO, Guilherme. "'Estamos falhando em manter nossos pesquisadores aqui', diz o epidemiologista Cesar Victora". *GZH*, Porto Alegre, 27 jul. 2018. Disponível em: https://gauchazh.clicrbs.com.br/educacao-e-emprego/noticia/2018/07/estamos-falhando-em-manter-nossos-pesquisadores-aqui-diz-o-epidemiologista-cesar-victora-cjk1loqx0019501p6klfxq2jr.html. Acesso em: 9 fev. 2021.

UFPEL. Disponível em: http://epidemio-ufpel.org.br/site/content/docentes/detalhe.php?docente=7. Acesso em: 9 fev. 2021.

Paulo Artaxo

"DOZE pesquisadores brasileiros estão entre os mais influentes do mundo". *Anahp*, São Paulo, 7 dez. 2018. Disponível em: https://www.anahp.com.br/noticias/noticias-do-mercado/doze-pesquisadores-brasileiros-estao-entre-os-mais-influentes-do-mundo. Acesso em: 9 fev. 2021.

FREIRE, Ana Paula. "O garoto tímido da Zona Norte de São Paulo que virou um cientista influente no mundo". *Ciência na rua*, São Paulo, 22 jan. 2016. Disponível em: https://ciencianarua.net/o-garoto-timido-da-zona-norte-de-sao-paulo-virou-um-cientista-influente-no-mundo. Acesso em: 9 fev. 2021.

"PAULO Artaxo". *Academia Brasileira de Ciências*, Rio de Janeiro, [s.d.]. Disponível em: www.abc.org.br/membro/paulo-eduardo-artaxo-netto. Acesso em: 9 fev. 2021.

"PAULO Artaxo". *EBC*, Brasília, 1 fev. 2020. Disponível em: https://tvbrasil.ebc.com.br/cientistas-brasileiros-entre-os-melhores/2020/01/paulo-artaxo. Acesso em: 9 fev. 2021.

"PAULO Artaxo: o desenvolvimento sustentável é a nossa única saída". *Blue Vision*, São Paulo, 6 nov. 2018. Disponível em: https://bluevisionbraskem.com/inteligencia/paulo-artaxo-o-desenvolvimento-sustentavel-e-a-nossa-unica-saida. Acesso em: 9 fev. 2021.

VAUGHAN, Adam. "Climate Change Has Already Made Parts of the World Too Hot for Humans". *New Scientist*, Londres, ed. 3282, 8 maio 2020. Disponível em: https://www.new

scientist.com/article/2242855-climate-change-has-alrea dy-made-parts-of-the-world-too-hot-for-humans/?fbclid =IwAR3l_JkXO7s4C2TbbYA_CIFXB_-FP8KHvHxdc0lOVN 5vJPSdKC5--nnDv94. Acesso em: 9 fev. 2021.

Miguel Nicolelis

"MIGUEL Nicolelis". *Wikipédia*. Disponível em: https://pt.wiki pedia.org/wiki/Miguel_Nicolelis. Acesso em: 9 fev. 2021.

"MIGUEL Nicolelis". *Wikipédia*. Disponível em: https://en.wiki pedia.org/wiki/Miguel_Nicolelis. Acesso em: 9 fev. 2021.

"NICOLELIS Lab". *Laboratory of Miguel A.L. Nicolelis M.D., Ph.D*, Duke University Medical Center, Durham, [19--]. Disponível em: https://www.nicolelislab.net. Acesso em: 9 fev. 2021.

"PROJETO Andar de Novo". *Aasdap*, São Paulo, [s.d.]. Disponível em: https://aasdap.org.br/projeto-andar- de-novo. Acesso em: 9 fev. 2021.

PIVETTA, Marcos. "O homem das múltiplas conexões". *Pesquisa Fapesp*, São Paulo, ed. 116, out. 2005. Disponível em: https://revistapesquisa.fapesp.br/2005/10/01/o- homem-das-multiplas-conexoes. Acesso em: 9 fev. 2021.

Álvaro Avezum

"ÁLVARO Avezum". *Currículo Lattes*. Brasília, última atualização em 14 jan. 2021. Disponível em: http://lattes. cnpq.br/5000252539139347. Acesso em: 9 fev. 2021.

"HOSPITAL Oswald Cruz inaugura centro internacional de pesquisa". *Hospitais Brasil Online*, São Paulo, 2 nov. 2019. Disponível em: https://www.hospitaloswaldocruz.org. br/imprensa/noticias/hospital-oswaldo-cruz-inaugura- centro-internacional-de-pesquisa. Acesso em: 9 fev. 2021.

"O TEMA é medicina e espiritualidade". *G1*, São Paulo, 2 nov. 2019. Disponível em: https://g1.globo.com/como-sera/ noticia/2019/11/02/o-tema-e-medicina-e-espiritualidade. ghtml. Acesso em: 9 fev. 2021.

VALENTE, Rodrigo. "Ex-residente do HC está na lista dos cientistas mais influentes do mundo". *Hospital de Clínicas uftm*, Uberaba, 5 fev. 2016. Disponível em: www2. ebserh.gov.br/web/hc-uftm/detalhes-das-noticias/-/ asset_publisher/7d2qZuJcLDFo/content/id/922320/2016- 02-ex-residente-do-hc-esta-na-lista-dos-cientistas-mais- influentes-do-mundo. Acesso em: 9 fev. 2021.

Flávio Kapczinski

CUNHA, Simone. "TOC, transtorno bipolar... 5 doenças mentais que não são como você imagina". *UOL*, São Paulo, 22 ago. 2019. Disponível em: https://www.uol.com. br/vivabem/noticias/redacao/2019/08/22/toc-transtorno- bipolar-5-doencas-mentais-que-nao-sao-como-voce- imagina.htm. Acesso em: 9 fev. 2021.

"FLÁVIO Kapczinski recebe prêmio por estudos sobre a doença bipolar". *UFRGS*, Porto Alegre, 28 fev. 2013. Disponível em: www.ufrgs.br/ufrgs/noticias/flavio- kapczinski-recebe-premio-por-estudos-sobre-a- doenca-bipolar. Acesso em: 9 fev. 2021.

"FLÁVIO Pereira Kapczinski". *Academia Brasileira de Ciências*, Rio de Janeiro, [s.d.]. Disponível em: www.abc.org.br/ membro/flavio-pereira-kapczinski. Acesso em: 9 fev. 2021.

HOSPITAL DAS CLÍNICAS DE PORTO ALEGRE. "Flávio Kapczinski: professor da UFRGS e do HCPA está entre os pesquisadores mais citados do mundo". *YouTube*, Porto Alegre, 2 dez. 2019. Disponível em: https://www.youtube. com/watch?v=kltXrLezuiE. Acesso em: 9 fev. 2021.

MAGALHÃES, Pedro V. S.; FRIES, Gabriel r. KAPCZINSKI, Flávio. "Marcadores periféricos e a fisiopatologia do transtorno bipolar". *Revista psiquiatria clínica*, São Paulo, v. 39, n. 2, 2012. Disponível em: https://www.scielo.br/scielo. php?script=sci_arttext&pid=S0101-60832012000200004. Acesso em: 9 fev. 2021.

SOARES, Iarema. "'Os problemas da mente são biológicos', defende gaúcho que está entre os pesquisadores mais influentes do mundo". *gzh Saúde*, Porto Alegre, 17 jan. 2020. Disponível em: https://gauchazh.clicrbs. com.br/saude/noticia/2020/01/os-problemas-da- mente-sao-biologicos-defende-gaucho-que-esta- entre-os-pesquisadores-mais-influentes-do-mundo- ck5i9trt000pc01ocun8r4jnb.html. Acesso em: 9 fev. 2021.

Sidarta Ribeiro

LINS, Marcelo. "Não é possível o desenvolvimento de um país sem investimento na educação básica". *Conjur*, São Paulo, 21 jun. 2019. Disponível em: https://www. conjur.com.br/2019-jun-21/milenio-sidarta-ribeiro- neurocientista-capoeirista-brasileiro. Acesso em: 9 fev. 2021.

LOBO, Flavio. "Entrevista: Sidarta Ribeiro fala sobre pesquisas da memória e dos sonhos". *Globo Universidade*, Rio de Janeiro, 6 set. 2012. Disponível em: http://redeglobo. globo.com/globouniversidade/noticia/2012/09/entrevista- sidarta-ribeiro-fala-sobre-pesquisas-da-memoria-e-dos- sonhos.html. Acesso em: 9 fev. 2021.

MACHADO, Leandro; FELLET, João. "Perda de intimidade com o sonho causa grande prejuízo à humanidade, diz neurocientista". *BBC News Brasil*, São Paulo, 11 ago. 2019. Disponível em: https://www.bbc.com/portuguese/ brasil-49287241. Acesso em: 9 fev. 2021.

MACIEL, Nahuma. "Livro reflete sobre a importância do sonho. Para compreender o ser humano". *Correio Braziliense*, São Paulo, 14 jul. 2019. Disponível em: https:// www.correiobraziliense.com.br/app/noticia/diversao-e- arte/2019/07/14/interna_diversao_arte,770491/livro-de- sidarta-ribeiro-reflete-sobre-a-importancia-do-sonho. shtml. Acesso em: 9 fev. 2021.

REDAÇÃO. "O despertar de Sidarta". *Revista Trip*, São Paulo, 18 jun. 2017. Disponível em: https://revistatrip.uol.com.br/ trip/o-despertar-de-sidarta. Acesso em: 9 fev. 2021.

Suzana Herculano-Houzel

FARINACCIO, Rafael. "Gênios do Brasil #3: Suzana Herculano- Houzel e os mistérios do cérebro". *Tecmundo*, São Paulo, 2 abr. 2018. Disponível em: https://www.tecmundo.com.

br/ciencia/128869-genios-brasil-3-suzana-herculano-houzel-misterios-do-cerebro.htm. Acesso em: 9 fev. 2021.

HERCULANO-HOUZEL, Suzana. "What Is So Special about the Human Brain?". *ted Global*, 2013. Disponível em: https://www.ted.com/talks/suzana_herculano_houzel_what_is_so_special_about_the_human_brain. Acesso em: 9 fev. 2021.

MATSUURA, Sérgio. "Pesquisadora busca verbas em financiamento coletivo". *O Globo*, Rio de Janeiro, 15 out. 2015. Disponível em: https://oglobo.globo.com/sociedade/ciencia/pesquisadora-busca-verbas-em-financiamento-coletivo-17776432. Acesso em: 9 fev. 2021.

RODA Viva. "Suzana Herculano-Houzel - 25/03/2013". *YouTube*, São Paulo, [s.d.]. Disponível em: https://www.youtube.com/watch?v=VVMHrWallRc. Acesso em: 9 fev. 2021.

"SUZANA Herculano-Houzel". *Wikipédia*. Disponível em: https://pt.wikipedia.org/wiki/Suzana_Herculano-Houzel. Acesso em: 9 fev. 2021.

Artur Ávila

"ARTUR Ávila". *Currículo Lattes*. Brasília, última atualização em 25 abr. 2017. Disponível em: http://lattes.cnpq.br/8907835195811403. Acesso em: 9 fev. 2021.

PIVETTA, Marcos. "Artur Ávila: o homem que calcula". *Pesquisa Fapesp*, São Paulo, ed. 224, set. 2014. Disponível em: https://revistapesquisa.fapesp.br/2014/09/16/o-homem-que-calcula. Acesso em: 9 fev. 2021.

Peraí que ainda não acabou: mais cientistas pra você!

"BERTHA Becker". *Intérpretes do Brasil*. Disponível em: www.interpretesdobrasil.org/sitePage/238.av. Acesso em: 6 fev. 2021.

"BERTHA Becker". *Wikipédia*. Disponível em: https://pt.wikipedia.org/wiki/Bertha_Becker. Acesso em: 6 fev. 2021.

BIERNATH, André. "A incrível história do brasileiro que ajudou a fundar a OMS". *Veja Saúde*, São Paulo, 13 jun. 2020. Disponível em: https://saude.abril.com.br/blog/tunel-do-tempo/a-incrivel-historia-do-brasileiro-que-ajudou-a-fundar-a-oms. Acesso em: 8 fev. 2021.

"BLANKA Wladislaw". *Wikipédia*. Disponível em: https://pt.wikipedia.org/wiki/Blanka_Wladislaw. Acesso em: 8 fev. 2021.

BURGIERMAN, Denis; JOKURA, Tiago; SILVEIRA, Gabriel. "A brasileira pioneira nos estudos de palinologia: Marília Regali". *Nexo Jornal*, São Paulo, dez. 2019. 1 vídeo (4:45). Disponível em: https://www.nexojornal.com.br/video/A-pioneira-da-palinologia-e-primeira-contratada-da-Petrobras. Acesso em: 8 fev. 2021.

CAMPOS, Cristina de. "Geraldo Horácio de Paula Souza: a atuação de um higienista na cidade de São Paulo, 1925-1945". *História & Ensino*, Londrina, v. 6, pp. 179-186, out. 2000. Disponível em: www.uel.br/revistas/uel/index.php/histensino/article/view/12398/10868. Acesso em: 8 fev. 2021.

"CIENTISTAS do Brasil que você precisa conhecer". *Nexo Jornal*, São Paulo, 6 maio 2020. Disponível em: https://www.nexojornal.com.br/especial/2020/06/05/Cientistas-do-Brasil-que-voc%C3%AA-precisa-conhecer. Acesso em: 8 fev. 2021.

"FLORESTAN Fernandes". *Wikipédia*. Disponível em: https://pt.wikipedia.org/wiki/Florestan_Fernandes. Acesso em: 8 fev. 2021.

FRAZÃO, Dilva. "Florestan Fernandes: político e sociólogo brasileiro". Disponível em: https://www.ebiografia.com/florestan_fernandes. Acesso em: 8 fev. 2021.

GOMES, Celso de Barros. *Geologia USP 50 anos*. São Paulo: EdUSP, 2007.

GURGEL, Aline et al. "Exposição: 20 cientistas brasileiras que fizeram história". *Associação de Brasileiros Estudantes de Pós-graduação e Pesquisadores no Reino Unido* (ABEP-UK), Londres, mar. 2018. Disponível em: https://abep.org.uk/20-cientistas-brasileiras. Acesso em: 8 fev. 2021.

"HENRIQUE Eisi Toma". *Academia Brasileira de Ciências*, Rio de Janeiro, [s.d.]. Disponível em: www.abc.org.br/membro/henrique-eisi-toma. Acesso em: 7 fev. 2021.

"HENRIQUE Eisi Toma". Disponível em: https://www.blucher.com.br/autor/detalhes/henrique-eisi-toma-427. Acesso em: 8 fev. 2021.

LOPES, Larissa. "23 cientistas negros que você precisa conhecer". *Portal Geledés*, São Paulo, 26 maio 2019. Disponível em: https://www.geledes.org.br/23-cientistas-negros-que-voce-precisa-conhecer. Acesso em: 8 fev. 2021.

MARASCIULO, Marilia. "Conheça Sônia Guimarães: primeira brasileira negra doutora em física". *Centro de Estudos das Relações de Trabalho e Desigualdades* (CEERT), São Paulo, 21 ago. 2020. Disponível em: https://ceert.org.br/noticias/genero-mulher/43305/conheca-sonia-guimaraes-primeira-brasileira-negra-doutora-em-fisica. Acesso em: 8 fev. 2021.

MELLO, Neli Aparecida de. "Trinta anos de pesquisa amazônica: homenagem a Bertha Becker". *Confins: revista franco-brasileira de geografia*, São Paulo, n.18, 2013. Disponível em: https://journals.openedition.org/confins/8378. Acesso em: 6 fev. 2021.

MELO, Liana. "Esse código acabou se transformando no código da agricultura, diz Bertha Becker". *O Globo*, Rio de Janeiro, 24 maio 2012. Disponível em: https://oglobo.globo.com/economia/rio20/esse-codigo-acabou-se-transformando-no-codigo-da-agricultura-diz-bertha-becker-5002392. Acesso em: 6 fev. 2021.

"MILTON Santos". *Wikipédia*. Disponível em: https://pt.wikipedia.org/wiki/Milton_Santos. Acesso em: 5 fev. 2021.

"NIÈDE Guidon". *Wikipédia*. Disponível em: https://pt.wikipedia.org/wiki/Ni%C3%A8de_Guidon. Acesso em: 8 fev. 2021.

PAIXÃO, Mayara. "O legado de Milton Santos: um novo mundo possível surgirá das periferias". *Brasil de Fato*, São Paulo, 3 maio 2019. Disponível em: https://www.brasildefato.com.br/2019/05/03/o-legado-de-milton-santos-um-novo-mundo-possivel-surgira-das-periferias. Acesso em: 5 fev. 2021.

PENA, Rodolfo F. Alves. "Milton Santos". *Brasil Escola*. Disponível em: https://brasilescola.uol.com.br/geografia/milton-santos.htm. Acesso em: 8 jun. 2020.

ROLAND, Maria Inês de França; GIANINI, Reinaldo José. "Geraldo Horácio de Paula Souza: a China e a medicina chinesa, 1928-1943". *História, Ciências, Saúde-Manguinhos*, Rio de Janeiro, v. 20, n. 3, jul./set. 2013. Disponível em: https://www.scielo.br/scielo.php?script=sci_arttext&pid=S0104-59702013000300885&lang=en. Acesso em: 8 fev. 2021.

SOCIEDADE BRASILEIRA DE GEOLOGIA. "Nota de Pesar – Marília da Silva Pares Regali". Disponível em: www.sbgeo.org.br/home/news/353. Acesso em: 23 fev. 2021.

"SÔNIA Guimarães". *Wikipédia*. Disponível em: https://pt.wikipedia.org/wiki/Sonia_Guimar%C3%A3es. Acesso em: 8 fev. 2021.

VERONEZI, Giovana Maria Breda. "Celebrando Ruth Nussenzweig: a mulher que abriu caminhos para a vacina contra a malária". *Ciência pelos olhos delas*, São Paulo, 5 ago. 2019. Disponível em: https://www.blogs.unicamp.br/cienciapelosolhosdelas/2019/08/05/celebrando-ruth-nussenzweig-a-mulher-que-abriu-caminhos-para-uma-vacina-contra-a-malaria. Acesso em: 8 fev. 2021.

ZORZETTO, Ricardo. "Morre Ruth Nussenzweig: pioneira no estudo de vacinas contra a malária". *Pesquisa Fapesp*, São Paulo, 4 abr. 2018. Disponível em: http://revistapesquisa.fapesp.br/morre-ruth-nussenzweig-pioneira-no-estudo-de-vacinas-contra-a-malaria. Acesso em: 8 fev. 2021.

Chegou a sua vez!

BRASIL. Ministério da Educação. "Qual a diferença entre pós-graduação lato sensu e stricto sensu?". Disponível em: http://portal.mec.gov.br/component/content/article?id=13072:qual-a-diferenca-entre-pos-graduacao-lato-sensu-e-stricto-sensu. Acesso em: 5 fev. 2021.

Cientistas rumo ao infinito... e além!

"ANDRÉ Luiz Elias de Souza". *Currículo Lattes*. Brasília, última atualização em 27 dez. 2019. Disponível em: http://lattes.cnpq.br/1847233345271112. Acesso em: 9 fev. 2021.

ASSIS, Marcos de. "Pesquisa indica controle da esclerose múltipla com transplante autólogo de células-tronco da medula óssea". *Centro de Terapia Celular (CTC)*, São Paulo, 28 dez. 2018. Disponível em: http://ctcusp.org/pesquisa-indica-controle-da-esclerose-multipla-com-transplante-autologo-de-celulas-tronco-da-medula-ossea. Acesso em: 9 fev. 2021.

"ASTROFÍSICA brasileira vence importante prêmio da ciência mundial". *Revista Galileu*, São Paulo, 22 fev. 2019. Disponível em: https://revistagalileu.globo.com/Ciencia/noticia/2019/02/astrofisica-brasileira-vence-importante-premio-da-ciencia-mundial.html. Acesso em: 9 fev. 2021.

BOEMER, Tauana; BAGGINI, Marcela. "Estudos de pesquisador da FMRP ajudam na compreensão genética do câncer". Universidade de São Paulo, São Paulo, 29 out. 2013. Disponível em: https://www5.usp.br/35646/estudos-de-pesquisador-da-fmrp-ajudam-na-compreensao-genetica-do-cancer. Acesso em: 9 fev. 2021.

CAMARGO, Letícia. "Ester Sabino acredita que sequenciamanento do Coronavírus foi resposta à difamação da Universidade". *Jornal do Campus*, São Paulo, 24 mar. 2020. Disponível em: www.jornaldocampus.usp.br/index.php/2020/03/ester-sabino-acredita-que-sequenciamento-do-coronavirus-foi-resposta-a-difamacao-da-universidade. Acesso em: 9 fev. 2021.

CAPUTO, Manuella. "Celina Turchi recebe título de professora emérita da Universidade Federal de Goiás". *Academia Brasileira de Ciências*, Rio de Janeiro, 12 nov. 2019. Disponível em: www.abc.org.br/2019/11/12/celina-turchi-e-nomeada-professora-emerita-da-universidade-federal-de-goias. Acesso em: 9 fev. 2021.

COLL, Liana. "Miriam Hubinger, professora da Unicamp, está entre os cientistas mais influentes do mundo". *Portal Unicamp*, Campinas, 2 dez. 2019. Disponível em: https://www.unicamp.br/unicamp/noticias/2019/12/02/miriam-hubinger-professora-da-unicamp-esta-entre-os-cientistas-mais-influentes. Acesso em: 9 fev. 2021.

"COMO as mitocôndrias regulam o cálcio nas células". *Jornal da USP*, 13 set. 2019. Disponível em: https://jornal.usp.br/ciencias/ciencias-biologicas/como-as-mitocondrias-regulam-o-calcio-nas-celulas. Acesso em: 23 fev. 2021.

FERREIRA, Júlio César Batista. *Currículo Lattes*. Brasília, 14 jan. 2021. Disponível em: http://lattes.cnpq.br/7271809963846268. Acesso em: 9 fev. 2021.

"INSUFICIÊNCIA cardíaca: SAMba, a molécula desenvolvida por pesquisador brasileiro para tratar a doença". *Época Negócios*, São Paulo, 25 jan. 2019. Disponível em: https://epocanegocios.globo.com/Brasil/noticia/2019/01/insuficiencia-cardiaca-samba-molecula-desenvolvida-por-pesquisador-brasileiro-para-tratar-doenca.html. Acesso em: 9 fev. 2021.

KWALTOWSKI, Alicia Juliana. *Currículo Lattes*. Brasília, última atualização em 7 dez. 2020. Disponível em: http://lattes.cnpq.br/3491460911174983. Acesso em: 9 fev. 2021.

"LAURA Carvalho". *Wikipédia*. Disponível em: https://pt.wikipedia.org/wiki/Laura_Carvalho. Acesso em: 9 fev. 2021.

LEVY, Renata Bertazzi. *Currículo Lattes*. Brasília, última atualização em 1 fev. 2021. Disponível em: http://lattes.cnpq.br/4630038671114897. Acesso em: 9 fev. 2021.

"LILIA Schwarcz: historiadora e escritora brasileira". Disponível em: https://www.fronteiras.com/salvador/conferencia/lilia-schwarcz. Acesso em: 9 fev. 2021.

"LILIA Schwarcz". *Wikipédia*. Disponível em: https://pt.wikipedia.org/wiki/Lilia_Schwarcz. Acesso em: 9 fev. 2021.

LOTUFO, Paulo Andrade. *Currículo Lattes*, Brasília, última atualização em 10 ago. 2020. Disponível em: http://buscatextual.cnpq.br/buscatextual/visualizacv.

do?metodo=apresentar&id=K4798400J9. Acesso em: 9 fev. 2021.

"PABLO Ortellado". *Wikipédia*. Disponível em: https://pt.wikipedia.org/wiki/Pablo_Ortellado. Acesso em: 9 fev. 2021.

PIVETTA, Marcos. "Thaisa Storchi Bergmann: no entorno dos buracos negros". *Pesquisa Fapesp*, São Paulo, jun. 2017. Disponível em: https://revistapesquisa.fapesp.br/thaisa-storchi-bergmann-no-entorno-dos-buracos-negros. Acesso em: 9 fev. 2021.

"PRÊMIO cidadão SP homenageia Renata Bertazzi Levy, em ciência". *Catraca Livre*, São Paulo, 15 jan. 2020. Disponível em: https://catracalivre.com.br/cidadania/premio-cidadao-sp-homenageia-renata-bertazzi-levy-em-ciencia. Acesso em: 9 fev. 2021.

RODRIGUES, Maria Carolina de Oliveira. *Currículo Lattes*. Brasília, última atualização em 12 fev. 2021. Disponível em: http://lattes.cnpq.br/4762099940426163. Acesso em: 9 fev. 2021.

SABARENSE, Bruna. "Lista de cientistas mais influentes do mundo tem 4 brasileiras". *Metrópoles*, Brasília, 28 nov. 2019. Disponível em: https://www.metropoles.com/saude/lista-de-cientistas-mais-influentes-do-mundo-tem-4-brasileiras. Acesso em: 9 fev. 2021.

SOUZA, André Luiz Elias de. "Passei fome, achei que era o sujeito mais burro do mundo". *Nexo Jornal*, São Paulo, 6 dez. 2019. Disponível em: https://www.nexojornal.com.br/profissoes/2019/12/06/%E2%80%98Passei-fome-achei-que-era-o-sujeito-mais-burro-do-mundo%E2%80%99. Acesso em: 9 fev. 2021.

STELLA, Rita. "Pesquisadores identificam mutações genéticas que caracterizam tumor cerebral". Universidade de São Paulo, São Paulo, 20 jul. 2015. Disponível em: https://www5.usp.br/95046/pesquisadores-identificam-mutacoes-geneticas-que-caracterizam-tumor-cerebral. Acesso em: 9 fev. 2021.

"THAISA Storchi Bergmann". *Wikipédia*. Disponível em: https://pt.wikipedia.org/wiki/Thaisa_Storchi_Bergmann. Acesso em: 9 fev. 2021.

YAMAMOTO, Erika. "Quatro pesquisadores da USP figuram entre os mais influentes do mundo". *Jornal da USP*, São Paulo, 27 nov. 2018. Disponível em: https://jornal.usp.br/institucional/quatro-pesquisadores-da-usp-figuram-entre-os-mais-influentes-do-mundo. Acesso em: 9 fev. 2021.

SOBRE OS AUTORES

Ana Cláudia Munhoz Bonassa é licenciada em biologia pela Universidade Estadual de Maringá e mestra e doutora em ciências com ênfase em fisiologia humana pelo Instituto de Ciências Biomédicas da USP. Atualmente, faz pós-doutorado em metabolismo energético no Instituto de Química da USP. Foi uma das trinta selecionadas para participar do FameLab Brasil 2018, o maior evento de divulgação científica do mundo para o público não cientista. Lá, conheceu pessoas interessadas em agir em prol da divulgação científica, e assim nasceu o canal Nunca Vi 1 Cientista, que está nas redes sociais e no YouTube levando ciência de forma leve e divertida para as pessoas, sempre com um toque de humor. E tinha que ser assim, porque Ana Cláudia carrega consigo o lema de que "divertido não é o contrário de sério; divertido é o contrário de chato", ou seja, dá para falar sobre ciência de forma séria e compromissada e ainda assim divertida e engraçada. Ana participa também do time de avaliadores da Febrace, a maior feira de ciências e engenharia do Brasil. É uma entusiasta da arte de imitar pessoas (e falha miseravelmente sempre) e ri das próprias piadas. Fez vários anos de canto lírico e é apaixonada pelos seus dois gatos, Luke e Zelda. Não reconhece as pessoas na rua por causa da prosopagnosia (um distúrbio que impede de reconhecer rostos), então não leve a mal se, depois de apresentado a ela, você não for cumprimentado.

Laura Marise de Freitas é farmacêutica-bioquímica e mestra e doutora em biociências e biotecnologia pela Unesp, com enfoque em microbiologia (se você der a chance, ela vai falar de bactérias e como acha esses "bichinhos" fascinantes). Atualmente, faz pós-doutorado no Instituto de Química da USP. Foi finalista do FameLab Brasil 2018, onde conheceu a Ana, que se tornaria sua grande amiga e parceira. Laura acredita que o conhecimento só é válido quando compartilhado, e melhor ainda se for acessível. A partir dessa convicção, com o intuito de aproximar as pessoas da ciência e do cientista, idealizou o projeto que originou o Nunca Vi 1 Cientista. O time, que hoje conta com nove cientistas e mais treze colaboradores, traduz a ciência para a população de forma atrativa, trazendo explicações simplificadas de temas relacionados ao dia a dia e em alta na mídia e desmistificando estereótipos ao mostrar que quem trabalha com ciência é gente comum e acessível. E foi a vontade de mostrar quem são os cientistas, compartilhada pelo NV1C e pelo Via Saber, que inspirou a criação deste livro. Laura é apaixonada por ciência desde criança, quando montava cadeias de DNA com Lego, e acha que tudo o que é incrível precisa ser divulgado. Sua outra grande paixão é a comida: quase cursou gastronomia em vez de farmácia. É graduada em *reality shows* de competição culinária e seus roteiros de viagem incluem as comidas que vai comer no destino. Ama gatos e cachorros, acumula livros e suculentas e nunca recusa um pedaço de bolo.

Renan Vinicius de Araújo é farmacêutico-bioquímico pela USP, tendo passado um período estudando na Universidade de Groningen, na Holanda, e outro na Universidade de Copenhagen, na Dinamarca. Atualmente, trabalha com planejamento de fármacos (ou seja, pensando em como fazer remédios novos) para doenças negligenciadas, como malária e tuberculose. Apesar da timidez, foi ator do grupo de teatro científico Química em Ação de 2014 a 2018, período em que se apresentou para cerca de 8 mil pessoas, de várias cidades e estados do Brasil — até na Câmara dos Deputados —, com peças que mostravam que a química não é um bicho de sete cabeças e pode ser bem divertida. É membro e cofundador do grupo Via Saber, que realiza o Pergunte a um(a) Cientista, evento que leva cientistas para lugares públicos para promover diálogos com a população de diversos estados do Brasil, e do podcast ViaCast, do Via Saber, em parceria com o *Jornal da USP*. Ama ciência e falar de ciência, tendo o Beakman como ídolo de infância. Foi Renan o doido que um dia pensou "Ei, e se a gente falasse sobre os cientistas brasileiros e o impacto deles na ciência?" e sugeriu a Ana e a Laura a ideia mirabolante de escrever este livro. Elas, mais doidas ainda, aceitaram. Adora pão (cozinhar e comer), tirar fotos, viajar, fazer piadas sem graça e cantarolar, mesmo que quem esteja perto não goste muito.

Siga-nos em:

@cienciaAna @cienciana
@lauramarise @lauramarise
@araujo_renan @araujo.rv
@_NV1C @nuncavi1cientista
@Via_Saber @via.saber

youtube.com/nuncaviumcientista